꽃이 피다

꽃이 피다

공순해

내 수엽 선생에게

저 자

Little Teddy Books

꽃이 피다
A Flower Blooms

Copyright © 2018 by 공순해 (Soon-Hae Kong)
Cover Illustration Copyright © 2018 by Little Teddy Books

Books may be purchased by contacting the publisher and author at:

Publisher: Little Teddy Books
Mailing Address: 12819 SE 38th St Suite 568 Bellevue, WA 98006
Website: http://www.littleteddybooks.com
Email: info@littleteddybooks.com
ISBN: 978-0-9968112-2-4

First Edition, June 2018
10 9 8 7 6 5 4 3 2 1

Printed in the United States of America

목차

큰일 났다

산골 나그네

고맙습니다

자유여

핵심

마음에 불화가 일어날 때, 나는 계란을 깬다.

그리고 휘젓개로 그 알들을 힘껏, 진지하게 저어댄다. 저을 때 바가지에 부딪히는 소리가 신경을 거슬릴 만큼 강하게 일어나 준다면 더욱 좋다. 미끈둥거리는 물질, 생명이었을 수도 있던 알들이 이윽고 액체로 변한다. 거기에 약간의 물을 붓고 다시 더 꾸준히 젓는다. 그 뒤 국간장으로 간을 맞추고, 어슷 썬 파, 채 친 붉은 파프리카, 깨소금, 후추를 투하한 채 그것들을 한 번 더 잘 섞는다.

내용물이 준비됐다. 그러면 프라이팬을 불에 올리자. 우선 센 불로 프라이팬을 충분히 달구어 기름을 두른다. 그런 뒤 아주 낮은 불로 줄인다. 온도와 타협하는 과정이다. 그리고 기다림 끝에 타협이 충분히 이루어졌다 생각이 들면, 저어 두었던 계란물을 프라이팬 전체에 골고루 펴서 붓는다.

색깔은 별로다. 계란 푼 것에 맹물을 붓고 간장까지 넣었으니 때깔이 고울 리 없다. 하지만 걱정할 것 없다. 기다리면 될 것이리니. 어느 정도 시간이 지나면 계란물은 약간씩 지지직 소리를 내며 서서히 변화를 드러내기 시작한다. 단백질이 익어가는 소리는 생명의 소리, 다정하기 그지 없다.

약간의 시간이 좀 더 흐르면 프라이팬 위에는 변화가 확실하게 나타난다. 밑바닥부터 올라오는 완숙의 노란 빛깔. 그러나 뒤집긴 아직 멀었다. 대신 은근하게 익어 올라오는 색깔을 골똘히 들여다보며 마음속에 일어나고 있는 불화를 함께 들여다본다. 불화의 이유는 많다. 상대가 과해서, 경우에 따라선 이쪽이 과해서. 또는 상대가 부족해서이기도 하다. 물론 내가 부족해서 일어나는 불화도 있다. 그런 상태를 내가 받아들이지 못해서 스스로 불화를 일으키는 것이다. 익어가는 계란 물을 들여다보면서 나는 그런 불화에 대해 몰두한다. 불화의 골이 깊으면 화해의 산이 높아 보이기만 한다.

그렇게 시간이 지나다 보면 계란물의 밑 부분 색깔이 병아리 털처럼 반쯤 노랗게 변하는 게 보인다. 이제부터가 본격적인 시작이다. 빠지직빠지직 익기 시작한 한 귀퉁이를 살짝 들어 올려 안으로 말기 시작한다. 이 대목에선 약간의 두려움이 심중에 깃들기도 한다. 바로 요 부분이 이 요리(?)의 핵심, 뜨거움의 중심이기 때문이다. 만일 이 초기 단계에서 말기를 실패한다면 나중에 완성된 모양이 우습게 된다. 뜯어 먹다 놓친 빈대떡처럼. 그러기에 성공과 실패의 갈림길에서 긴장한 나머지 두려움이 느껴지기도 하는 걸게다. 신념을 갖고 온갖 정성을 다해 집중하여, 단단하고 단정하게 말아 나가기 시작한다.

드디어 중심이 잡혔다. 이젠 뒤집개로 살살 밀어만 주면 된다. 만일 크기가 크다면 두 개의 뒤집개를 사용한다. 이런 경운 양쪽의 협력이 잘 이루어져야만 한다. 좀 덜 익은 계란물이 있다 한들 그건 상관없다. 뜨거운 중심이 덜 익은 계란물을 끌어안고 함께 덥혀, 스스로 익어 줄 터이니. 일단 모양이 잡히고 아래위만 잘 잡아 주면 계란물은 저희끼리 알아서 잘 익어 간다.

시간이 좀 지체되어도 좋다. 불은 충분히 약하니까 탈 염려는 없다. 일단 엉기기 시작한 계란물은 뜨거운 중심에 의해 저희끼리 끌어안고 속도를 높여 스스로 요리를 완성해 나간다. 차츰 일손이 바빠진다. 열정을 다해 뭉친 중심을 따라 바깥도 함께 뜨겁게 익어 가니까 여기부터는 좀 서둘 필요가 있다. 일이 막바지에 오른 것이다.

말고 있는 음식이 뜨거운 만큼 내 마음속에서도 뜨겁고 고통스러운 땀이 흐르기 시작한다. 이처럼 자신이 열정을 가지고 중심이 되어 주위를 끌어안을 수만 있다면 세상의 어떤 불화가 두려우랴. 이루지 못할 융화가 어디 있으랴. 연탄재 함부로 발로 차지 마라/ 너는 누구에게 한 번이라도 뜨거운 사람이었느냐? 이 순간은 어느 시인의 말이 부끄러울 따름이다. 이 음식의 중심만큼도 뜨겁지 못한 내 차가운 속 안을 들킨 것 같아서이다.

그랬기에 천천히, 익어가는 계란을 말고 있는 사이, 계란물들이 열정을 다하여 서로 끌어안고 음식으로 변화하듯, 내 마음에도 뉘우침이 일어 불화는 물이 되고 다시 덥혀지고 익어서 서서히 화해 쪽으로 나아간다. 그리고 어느 순간, 마음 안에 도사리고 있던 불화가 가뭇 사라진다.

드디어 계란말이가 완성되었다. 멀뚱멀뚱하던 계란물은 환골탈태하여 노란 병아리색, 아니 활짝 핀 개나리처럼 생명의 색으로 다시 살아났다. 이걸 알의 부활이라고 부른다면 너무 수다스러울까? 게다 파와 파프리카의 색깔-초록 빨강의 무늬마저 입고 아름답게 누워 있는 모습을 보면, 새로운 물질의 창조라 해도 과언이 아니다.

이것을 식구 수대로 자른 뒤 접시에 담고 살짝 모양을 잡아 식탁에 올린다. 가족들은 그 아름다운 자태에 환호성을 지르며, 서둘러 그것들을 젓가락으로 집어 올린다. 아름다운 화해를 입에 무는 순간의 가족은 행복하다.

그래서 마음에 불화가 일어나는 날이면, 나는 계란을 깬다.

자유여

　여자는 왜 화장을 할까? 여성 잡지의 답은 자신감을 불어넣기 위해서란다. 그들은 물경 17단계의 화장을 한단다. 또 한국 여성 화장품 사용 종류는 무려 낮 12.9개, 밤 6.47개란다. 나도 여자니 한번 자문해 봐야겠다. 정말? 화장 단계는 3.5단계에서 끝나고, 사용 종류도 3.5개니 어림도 없다.

　여자는 누구나 명품백을 원한단 기사도 읽었다. 이유는 맹목적이란 여자, 자신의 가치를 높여 주는 물건이기에 거기서 자신의 존재를 느낀다는 여자. 그러니 남자의 로망은 차고, 여자의 로망은 명품백이란 말도 생겨났겠지. 하니까 장클로드 카프만이란 사람은 가방이 여자의 정체성을 드러내는 기념비 같은 물건이라며, 심지어 그 안에 세상 모든 감정이 담겨 있다고 했다. 이런 식으로 유추하면 여자의 가방은 인생의 파트너며, 정체성 그 자체다.

한데 난 백도 안 들고 다닌다. 없어서가 아니다. 있기는 있다. 책을 넣어 다니는 반 백 팩, 교회 갈 때만 드는 성경 백, 몹시 어려운 자리라면 면피하려 소지하는 손으로 페인트 한 지갑, 클러치라는 개념도 없던 70년대 말 장만한 소가죽 장지갑. 그러니까 종류별로 있기는 다 있는 셈이다.

하니까 내 습관을 아는 분들은 몹시 궁금해한다. 왜 가방을 안 들고 다녀요? 답답하지 않아요? 대체 그게 어떻게 가능해요? 이런 질문에 직면하면 난 그냥 슬쩍 웃고 만다.

그들이 내게 또 궁금한 게 있다면 머리 스타일이다. 왜 그리 머리가 짧아요? 이 질문에도 난 글쎄요, 그냥 웃는다. 그들은 대답이 만족지 않으니 영 미심쩍은 얼굴을 한다. 뭔가 어떤 이유를 짐작해 보는지도 모르겠다.

그런 분들에게 비로소 그 이유를 밝힌다면, 그건 자유롭기 위해서다. 여자란 굴레를 벗고 자유로워지고 싶어서. 이걸 단지 기이한 취향으로 치부해 버린다면, 그럴 수도 있다. 하지만 거기엔 나름의 사연이 있고, 듣고 나면 오히려 공감하는 분도 있지 않을지.

기초화장에서 멈춘 건 출산 뒤였다. 그전엔 나도 화장을 했다. 한데 퇴근해서 대문을 열면 제일 먼저 달려드는 아이 때문에 화장을 미련 없이 버렸다. 여린 피부에 분필 가루와 파운데이션의 범벅이 닿는 게 싫었던 탓이다. 그 이래로 궁금해하는 분들께 질문을 받으면 성가시기도 했지만, 지금 와 생각하니 그게 참 잘한 결단이란 생각이 든다. 17단계의 화장, 12.9개의 화장품 종류, 이건 화장이 아니라 포장, 아니 변신, 둔갑 수준이다. 자신감의 부여가 아니라 자아 상실이다. 화장할 자유가 있다면, 민낯의 자신감과 함께 포장하지 않을 자유도 있어야 한다.

백 안 들고 다니는 이유도 이와 유사하다. 처음엔 어색했지만, 시간이 지나고 보니 무척 자유롭다. 한 손에 백을 내어 주고 한 손만 사용하다 두 손을 모두 사용할 수 있었을 때의 놀라운 경이감. 그건 새로운 경험, 또 다른 자유였다. 소유하지 않은 상태, 짐 벗은 상태의 자유였다.

이 버릇은 뉴욕 이후 생겼다. 하루가 멀다고 신문 기사에서 날치기 들치기 기사를 읽다 보니, 그럼 안 들고 다니면 되잖아, 작정하게 됐다. 이건 순전히 기초화장에서 끝나는 버릇으로 가능하게 된 일이기도 하다. 외출 시 잡다한 물건이 필요 없다. 가장 기본인 신분증과 돈, 열쇠, 긴급 용 전화, 이 정도는 청바지 주머니로도 얼마든지 처리할 수 있다.

하니 이 버릇은 청바지가 준 자유라고도 할 수 있다. 태평양을 건너 온 이래 어디를 가도 청바지 티셔츠 운동화를 착용한다. 이 세 가지를 적당한 액세서리와 함께 믹스 앤드 매치하면 어지간히 어려운 자리도 넘길 수 있다. 옷 입기 몹시 까다로운 한국에서도 통용되니 꽤 쓸만한 차림새라 하지 않을 수 없다.

　머리 스타일도 마찬가지다. 러시안 헤어 디자이너가 처음 짧게 깎아(?) 놨을 땐 속으로 으악, 했었다. 하지만 한 달 안에 그 스타일에 당장 매료되고 말았다. 머리 감은 뒤 훌훌 털면 끝이니 말리는 시간도, 스타일을 위해 고민할 필요도 없고, 흐트러질 머리칼도 없어 자주 빗질할 일도 없게 됐다. 그뿐인가, 염색할 필요도 없다. 제약 많은 머리칼로부터의　탈출,　완전한　자유였다.　이젠　이 스타일에서 도저히 벗어날 수가 없다. 등을 덮는 긴 머리로 돌아갈 마음이 전혀 없다.

　한데 생각해 보면 이런 습관이 가능한 건 내 생활이 복잡하지 않단 방증이기도 하다. 또한, 여자의 정체성(?)을 벗어 던지고 얻은, 인간으로서의 자유이기도 하다. 그간 나는 단순 소박하길 지향해, 본질에 닿으려고 노력해 왔다. 그리고 이제 그 추구하는 바가 조금씩 모습을 드러내고 있는 셈이다. 혹자의, 소박하다는 건 아무것도 없는 게 아니다, 꼭 필요한 것만 있는 거다, 때로는 소박함이 고급스러움보다 더 고급스럽다, 란 말을 이 자리에 인용한다면 자신의 급(?)을 너무 높여 밉상이 되는 걸까?

하하! 아무튼, 새해에 소원 한 가지가 있다면, 얽매이지 않은, 이런 자유의 축복(?)이 계속되길 바라는 것이다.

비굴한 굴비

깊은 바닷속은 깜깜할까? 아니면 전혀 다른 별천지가 벌어져 있을까? 빛이 투과할 수 없으니 깜깜할 게야. 그러나 깊은 바닷속 사진을 보면, 뜻밖에도 화려한 빛깔로 일렁인다. 붉은 말미잘, 초록 꼬리에 검은 바탕 흰 줄무늬 물고기, 노랑 꼬리에 검정 바탕 청색 줄무늬 물고기, 흔들리는 연초록색 수초들⋯ 노랗거나 주황색인 비늘을 번뜩이는 물고기에 이르면 찬탄이 저절로 터져 나온다. 이건 아예 파스텔화(畵)가 아닌가.

들여다보노라니 슬며시 의문이 인다. 인간이 볼 수 없는 심연(深淵)에 어찌 저런 세계가 존재할까? 깊은 산 골짜기, 인적 없는 모퉁이에서 홀로 피고 지는 꽃 같구나. 안타깝다. 그래, 이게 바로 생명이다. 미물조차 생명을, 존재함을 드러내려 그 깊은 심해(深海)일망정 색깔로 치장하고 생을 과시한다. 그리고 그 생(生)이 육지로 연장 (?)될 때, 인간에게 유익함을 나눠주기도 한다.

그중 정말 놀라운 존재는 조기다. 조기가 굴비가 되려 아홉 번 죽는다는 말을 들어 본 적 있는가? 한 번도 아니고 아홉 번이나? 그물에 걸려 죽고, 소금에 절여 죽고, 냉동되어 얼어 죽고, 끈에 졸려 죽고, 건조할 때 말라 죽고, 냉동실에 다시 들어가 죽고, 손질하는 칼 아래 죽고, 불 위에서 익어 죽고, 드디어 인간의 입속으로 사라져, 장렬히(?) 전사(戰死)한다. 구사일생(九死一生)에서 일생 (一生) 도 못 건진 조기. 애도를 표하는 것만으로는 그 비통함을 다 드러낼 수 없다.

한데 조기에는 더 놀라운 반전(反轉)이 있다. 조기가 굴비가 되는 과정에 26 명의 인간이 밥줄을 얻는단 사실을 아시는지. 조기 잡는 어부는 물론이고, 말리는 사람, 엮는 줄 만드는 사람, 엮는 사람, 등등. 바람, 소금, 사람 손길의 만남이 기온, 습도, 풍속과 섞여 제품이 되는 조기는 굴비로 진화(?)하는 과정을 들여다보면 인간으로 치면 인(仁)을 알고 덕(德)이 높은 종교인쯤에 해당한다 할 수 있겠다.

나아가 이름조차 명상적이다. 굴비! 이 이름을 남긴 사람은 고려조(高麗朝)의 이자겸이라 한다. 그가 도참설(圖讖說)을 믿고 난을 일으켰다가, 인종(仁宗)에 의해 귀양을 간 곳은 영광. 거기서 조기 말린 걸 처음 맛본 그는 임금에게 이것을 진상했단다. 그리고 비록 진상은 하지만,

너무 맛이 좋아 그런 것이지, 자기가 비굴해서 진상하는 것은 아니란 뜻에서 그 이름을 굴비라 명명했단다. 보위를 노렸던 그가 왕에게 진상품을 바치다니. 그러며 굽히는 것은 아니다? 게다 불굴(不屈)도 아니고, 굴비(屈非)? 900 여 년 전, 왕보다 더한 무소불위의 권력으로 자신의 곳간을 채우며, 민초(民草)들을 절망에 빠뜨렸던 그가 귀양지에서 쓸쓸히 불귀의 객이 되었다는 것 또한 삶의 모순이 아닐 수 없다.

그리고 시시포스의 바위 같은 시간은 계속 굴러내려 드디어 2012 년. 왜 허덕이며 살아야 하는지 이유도 모르고 지난 한 해를 깡총거렸던 우리는 아마 올해도 또 그렇게 용틀임하듯 한 해를 넘겨야 하리라. 오죽하면 월가 점령을 감행했을까. 곳곳에 분노가 먼지 덩어리처럼 굴러다닌다. 점점 더 무거워지고 낡아가는 짐가방 같은 삶을 껴안은 채 정지 신호판 없는 생의 대로(人路)를 내달린다. 이 시점에서 우리가 잃은 것은 무엇인가? 해내야 할 것은 무엇인가?

구사(九死)해야만 굴비로 거듭나는 조기라면 이런 경우 어떻게 할까? 죽음을 앞두고 혼란스러운 마음(?) 먼저 다스려내지 않을는지. 그럼, 마음을 다스리고 혼백(魂魄)을 과로시키지 않으려면 어찌해야 할까? 물은 파도가 없을 때 거울이 되고, 불은 고요할 때 빛난다는 경구라면 도움이

15

될까? 이 말은 중국 양나라의 유협이 『문심조룡(文心雕龍)』에서 마음 가다듬는 방법을 설명할 때 남긴 말이다. 필부필부(匹夫匹婦)가 이렇게 냉철한 경지에 도달하긴 어려울 게다. 그러나 조기의 순응(?)을 터득한다면, 그쯤의 경지는 병아리 눈물 만큼이나마라도 따라잡게 되지 않을까.

생명의 본질은 존재다. 그러기에 바닷속 미물도 본능에 따라 화려한 색깔로 제 생을 지켜낸다. 외딴 골짜기 눈먼 풀꽃도 꽃을 피워 존재를 드러낸다. 아무리 외로워도, 절망스러워도 존재를 포기할 순 없다. 생명은 '중단 없는 전진'이다. 그 어려운 시절도 넘겨 왔는데, 뭘!

자~, 올핸 무슨 색(色)으로 생(生)을 칠해, 명(命)을 지켜낼까? 만일 비굴한 생명이 된다면 굴비에게 체면이 안 서겠지? 암, 말이 안 되지.

오류와 작동

하늘은 스스로 돕는 자를 돕는다. 이는 새마을운동의 자조 정신 기조였다. 7, 80 년대에 국어 교과서를 통해 이를 학생들에게 가르쳤다. 어느 한 해, 마지막 수업에서 그들에게 물었다. 지난 일 년간 내게 뭘 배웠죠? 애국요! 한 학급 70 명이 외쳤다. 나는 주저앉을 만큼 충격을 느꼈다. 개인의 개성을 길러줘야 할 교사가 전제주의 국민을 길렀 구나! 그 기억은 지금도 두렵다.

한데 이 일화가 좀 어이없기도 하다. 후에 안 사실에 의하면 이 구절은 Heaven helps those who help them selves 의 번역인데, 이는 오역이란다. Help themselves 는 스스로 돕는다는 뜻이 아니라, 노력한다는 의미라고. 하니까 '하늘은 노력하는 사람을 돕는다'는 뜻을 어색해서 의미도 잘 안 통하는 말로 가르친 셈이 됐다.

이런 예화는 또 있다. 시애틀 추장의 연설문을 보자. 이 저명한 연설문은 '미국 대통령이 우리 땅을 사고 싶다는

17

전갈을 보내왔다'로 시작해, '공기의 신선함과 반짝이는 물은 우리 소유물이 아닌데 어떻게 팔 수 있나, 우린 땅의 한 부분이고 땅은 우리의 한 부분이다'는 대목에서 절정의 감동을 안긴다. 하지만 이 연설문은 시애틀 추장이 아니라 추장의 친구였던 헨리 스미스 박사가 추장의 연설을 받아쓴 것이란다. 한데 문제는 박사가 치누크 인디언의 말을 할 줄 몰랐다는 데 있다. 따라서 이 글은 추장의 것이 아니며, 그간 우리는 누군가의 계략(?)에 넘어갔다는 것이 요즘의 견해다.

예화 하나를 더 들어본다. 다음의 글은 임지현 교수의 저서에서 읽었다. 그는 우리의 청소년기를 풍부한 서정으로 채워준 작가 알퐁스 도데의 단편소설 『마지막 수업』을 지적했다.

"알자스-로렌 주민들은 중세 이래 독일어를 사용하고 독일 문화권에 속해 있었다. 그러나 1789년 프랑스 대혁명이 일어나자 주민 투표를 통해 프랑스에 통합되는 길을 택했다. '자유, 평등, 박애'라는 구호 아래 혁명 프랑스 정부가 약속한 인간 및 시민의 권리에 표를 던진 것이다. 그러므로 그 주민들의 감동적 프랑스 민족주의는 혈통이나 언어 등 원초적 유대감에 기초한 것이 아니라, 프랑스 공화정이라는 시민적 공동체에 대한 시민적 헌신에서 비롯된 것이었다."

이 뜻은, 소설의 배경이 우리가 알던 바와 다르게, 자발적 식민 상태에 놓여 있었던 사실을 시사하는 것이다. 이는 우리가 전혀 알지도, 생각지도 못했던 사실이다. 더할 수 없이 감동했던, 아멜 선생의 마지막 판서 '프랑스 만세!'를 우리는 아직도 기억한다. 한데 이를 고쳐 보면, 일본의 패전에 교사가 한인 학생들을 향해 더는 일본어를 사용할 수 없게 됐다며 '대일본제국 만세!'라고 마지막 판서를 한 것과 같다니...

이런저런 사실을 알고 나자 앞이 아찔해졌다. 무수한 오류 속에 살아왔구나, 하는 자괴감으로 머릿속이 멍해졌다. 이토록 수많은 오류에 의해 지식을 넓히고 영혼을 살찌웠으니, 그 영혼이 제대로 작동하는 영혼일 수 있겠나. 누구에게랄 것도 없이 분노조차 일었다. 아니 참담했다.

한데 이보다 더한 오류를 스스로 저질렀던 점을 요즘에 와서야 자각게 됐다. 위 예화들이라야 문화 식민 상태의 식민지인이 지식의 이식(移植) 과정에서 타의에 의해 만들어진 오류를 받아들인 것이라고 항변도 할 수 있겠다.

그간 나는 자신을 버텨주는 건 자신이라고 믿으며, 모든 일을 위해 안간힘 하며 좌절도 하고 절망도 하며, 때로는 기뻐하기도 했다. 아침에 눈 뜨면 달려드는 왜소한 자신, 빈약한 영혼에 한탄하며, 탐진치(貪瞋痴)를 벗어난 자아 찾기에 온 힘을 다했다. 그러나 65세가 넘어서 비로소 알게 됐다. 나를 경영하는 힘은 옛적부터 항상 계셔 온 분에 있으며, 내게 생령을 불어넣어 주신 분도, 생령을 거둬갈 분도, 살아갈 생기를 주시는 분도 그분이라는 걸. 내 마음조차 그분에게 속해 있다. 평생 오류 속에 살았구나! 이걸 깨닫던 순간의 낭패감과 부끄러움이라니.

　인간의 본질은 무엇인가? 이를 찾기 위해 설산(雪山)의 고행을 마다치 않은 분도 있다. 한데 그토록 찾던 본질이, 인간은 그분 앞마당에 놓인 토기였다. 눈비 맞고 태양에 마르고, 적시는 보슬비에 저절로 무너지는, 만들어진 토기. 이를 인정하던 날, 꼭 허무 개그를 보는 심정이었다. 하지만 피조물이란 보편적 진리는 피해갈 수도, 부정할 수도 없는 사실이었다. C S 루이스는 말했다. 극작가가 무대 위로 걸어나오면 연극은 끝이라고. 하기에 존재의 부조리는 그분의 사랑이 더해져야 극복된다. 더는 외면할 수 없는 사실이었다. 그러므로 이제 바라는 바가 있다면, 그분의 선물인 오늘과 생명에 감사하며, 더는 오류를 범하지 말고 제대로 작동이 되는 인간으로 변화하길 원할 뿐이다. 새해 다짐으로 이만한 게 어디 있겠나.

고통의 열락

잇몸에 노오란 반점이 떠올랐다. 색깔도 예쁘게. 그러나 탐미에 빠져, 객기 부릴 상황이 아닌 것 같았다. 치과엘 갔다. 의사는 잇몸 문제가 아니라 치아뿌리 신경이 죽어 염증이 생긴 결과란다. 따라서 죽은 신경도 치료해야 하고, 항생제 복용도 해야만 한단다.

항생제? 이거 언제 먹어 봤지? 몇십 년은 족히 되었지, 아마. 항생제를 피하는 이유는 위 때문이었다. 위가 늘 골칫거리였기에 부담되는 약은 한사코 먹지 않았다. 하지만 이 경우, 안 먹고 버티는 재간이 없다. 치과 치료는 미룰수록 손해다. 치료비만 올라가니까.

다부진 마음 먹고 펩토비스말을 준비한 다음, 항생제 복용을 시작했다. 문제는 곧 드러났다. 체력에 버거운 항생제였을까, 어지러워 자리에 눕곤 했다. 낮에 눕는 습관이 없는지라 금방 아이들이 걱정했다. 하지만 이건 초기 징후에 불과했다.

　체력이 떨어지니까 온갖 지병(持病)이 떨쳐 일어났다. 제일 먼저 메두사처럼 머리를 쳐든 건 앨러지였다. 뉴욕에서 이삿짐 정리하며, 그동안 기르던 못생긴 알로에베라 화분을 누굴 주기도 뭣해 아예 복용해 버렸다. 그간 새끼를 쳐서 네 분이나 되었던 걸 모두 먹어 버렸더니, 그래서였을까? 20년 넘게 괴롭히던 꽃가루 앨러지 증상이 싹 가셔 버렸다. 덕분에 시애틀의 생활을 가볍게 시작할 수 있었다. 한데 드디어 그 괴물이 머리를 쳐든 것이었다. 목 붓고, 입천장과 눈 가렵고, 재채기 콧물 기침, 불쾌한 기분 등등. 이만해도 괴로웠다.

　한데 이번엔 식도염이 재발했다. 가장 염려하던 문제였다. 이것 때문에 항상 소식(小食)해야 했고, 어떤 자리에서나 눈치 무릅쓰고 나름의 식사법을 지켜야 했었는데, 십 년 공적(功績) 도로아미타불인가. 밤이면 속 쓰림 (heartburn)이 치밀어 잠을 이룰 수 없었다. 도리 없이 예전의 치료법을 다시 택해야 했다. 그것은 상체를 15 도에서 20 도가량 높여 자는 일이었다. 그러자 익숙하지 않은 잠자리가 잠을 더욱 감질나게 했다. 마음의 평화가 깨졌다.

　뒤이어 위궤양이 쫓아 왔다. 메스껍고, 기분 나쁜 역류의 느낌. 이러니 그간 복용하던 다른 약도, 와인은 물론, 커피도 마실 수 없게 되었다. 다른 건 다 참겠는데, 커피 마실 수 없는 건 삶을 파괴 당한 것만 같았다. 우울한 좀비가 되

어 집안을 오락가락하며 항생제 복용이 끝나기만 기다리는
수밖엔 없었다.

　비 오는 여름날, 밭에 나가 줄기를 슬쩍 들어 올리면
줄줄이 따라 올라오던 고구마나 감자들처럼 연이어 머리를
쳐드는 지병들. 마지막으로 찾아온 지병은 기관지염이었다.
체력이 떨어지면 기다렸다는 듯 빠지지 않고 찾아오는, 46
년 친구(?). 그러지 않아도 앨러지로 해서 부은 목구멍이
기침으로 너덜너덜해졌다. 총체적 난국이란 말은 이런 경
우 쓰는 것이렷다.

　도대체 이 현상들은 내 삶에 어떤 모습을 남기고 지나
갈 것인가. 지옥을 가슴에 품고, 대낮에 누워 천정을 바라
보며 멀뚱한 생각을 해 본다. 섯클리프의 『과학사의 뒷얘
기 III』에 보면 이런 얘기가 나온다.

　영국 병사의 건장한 근육은 상등품 면양의 고기를 먹
는 일에서 생길 수 있다. 붉은개미자리로 자란 면양으로부
터는 품질이 가장 좋은 면양고기가 나오게 된다. 붉은 개미
자리는 띠호박벌이 많은 곳에서 잘 자란다. 띠호 박벌은
들쥐가 적은 곳에 많다. 들쥐는 고양이가 많이 있는 곳에
적다. 고양이는 올드미스가 많이 있는 곳에 가장 많다.

　이렇게 보면 영국 병사의 근육과 올드미스의 수와는
어떤 관련이 있다는 가정을 세워 볼 수 있다. 섯클리프가

이런 가정을 세운 것은 생물은 서로 연관을 맺으며 산다는 걸 설명하기 위해서였다.

　　그렇다면 눈멀어 가던 지병들을 모조리 눈뜨게 하여 떨쳐 일으켜 세운, 잇몸의 반점은 무엇과 상관되는 걸까? 이런 경우 불가에선 인과(因果)로 풀이한다. 헤겔이라면 정반합(正反合)으로 설명할까? 성리학에선 이(理)와 기(氣)로 밝힐는지. 그 외 달리 말할 방법은 없나?

　　기독교에선 마음의 할례를 거쳐야 신앙인은 거듭난다 한다. 그래서 이 연약한 '막 쪄낸 찐빵'에게 고통을 내리신 걸까? 그분께 불평을 늘어놓으려는 순간, 답이 곧바로 나온다. 고통 속에서 열락을 찾거라. 밤이 되면 양쪽으로 난 잎을 서로 포개는 자귀나무처럼 고통은 열락과 포개진다. 아, 이게 당신의 뜻이었습니까? 그렇다면 무릎 꿇고 두 손으로 받들 밖에요. 밖에는 늦봄이 설익은 참외처럼 익어가는 오후였다.

유월절에 백합이 필까요

"유월절은 대개 4월인데, 왜 유월절이라고 해요?"

성경 공부 모임에서 한 분이 물었다. 나도 그게 의아한 적이 있다. Passover와 6월이 어찌 연관이 되나. 손님들이 맛쯔를 사갈 무렵엔 더욱 궁금했다. 맛쯔는 유월절의 음식이다. 구두창같이 딱딱하고 맛없는 개떡(?). 한데 왜 그들은 그걸 소중히 여길까? 유(逾;넘을 유) 월(越;넘을 월)의 한자를 알고야 의문이 풀렸다. 맛쯔가 '누룩을 넣지 않고 구운 무교병'이란 것도 성경을 읽고야 알게 됐다.

이처럼 알려고 노력하지 않으면 이해 안 되는 말이 성경엔 참 많다. 문청(文青) 시절, 문학을 하려면 비유로 가득 찬 성경을 꼭 읽어야 한다는 선배들 말에 성경 뚜껑을 열어보긴 했다. 하지만 초장, '궁창'에 걸려 그만 닫고 말았다.

그리고 40여 년 뒤 다시 성경으로 돌아왔다. 그리하여 그 일을 변명하자면, 이유가 순전히 한글 번역 탓이 아니었을까, 이다. 하긴 어려운 말이야 전문용어라 칠 수도 있

25

다. 올무, 궤휼, 도말하다, 구로하다, 시제하다, 분깃, 등 등.
그 외 모호한 인칭과 시제, 피동사의 남용, 게다 문장들은
어떨까?

"종말로 형제들아 너희는 우리를 위하여 기도하기를
주의 말씀이 너희 가운데서와 같이 달음질하여 영광스럽게
되고/ 또한 우리를 무리하고 악한 사람들에게서 건지옵
소서 하라 믿음은 모든 사람의 것이 아님이라(살후3/ 1,
2)"―생명의 말씀사 『큰 글자 성경전서』 이하 동일.

"율법 없는 자에게는 내가 하나님께는 율법 없는 자가
아니요 도리어 그리스도의 율법 아래 있는 자나 율법 없는
자와 같이 된 것은 율법 없는 자들을 얻고자 함이라 (고전
9/21)"

이를 제대로 해독할 이 몇 될까? 무려 30여 분도 더 걸
려서야 겨우 뜻이 나타났다. 한나절에 배운다는 한글로 독
서백편의자현(讀書百遍義自現)하게 하다니. 대체 주어와
서술어의 위치가 어디람. 성경 독파(?)에 무려 7개월 걸렸
다. 이렇게 난해해서야 세대조차 초당(秒當)으로 바뀐다는
요즘 어찌 널리 읽힐 수 있을까, 자못 염려된다.

또 부자연스러운 말은 왜 그리 많은지. '자유하다'를 예
로 들어본다. 사전을 찾아 보면 '자유'란 명사는 '자유롭
다'란 형용사로 활용된다. '자유하다'란 동사 활용 예가 없
다. '마음대로 할 수 있는 상태'는 동사가 아니다. 나아가 문

법 말고도, 교리로도 온당하지 않다. 인간에게 자유를 준 분은 하나님이시다. 인간 스스로 자유로울 수 없으니 '자유하다'란 자동사를 쓸 수 없다. '범죄하다'도 그렇다. 범죄는 저지르는 것이어서 자동사 '범죄하다'는 성립이 안 된다. 이러다 보니, 문운(文運)을 빕니다, 를 '문운하세요'라고도 한다. 스스로 운을 빌어 가지라는 건가? 일부 기독교인들의 글이 총체적 난국(?)이어서 이해하기 힘들었던 까닭을 성경 읽은 뒤에야 알았다. 한글판 성경은 한글 보급에 공(功)이 크다. 하지만 어문을 교란한 과(過)도 크다.

　'주발 아래 엎드려' '멍에를 꺾고' 이런 식의 번역도 있다. 주발은 놋쇠로 만든 밥그릇이다. 밥그릇 아래 엎드리라고? 왜? 먹이를 모시는 이상한 집단인가? '주 발 아래 엎드려' 이래야 맞는 말이다. 또 멍에를 어찌 꺾나 했는데, 살펴보니 멍에를 걸었으니까 꺾는다는 발상이 이루어졌나 보다. 멍에는 수레나 쟁기를 끌기 위해 마소의 목에 얹는 구부러진 막대다. 그러니 거는 게 아니라 쓰거나 메는 거다. 하니까 '멍에를 쓰고, 멍에를 벗고'가 맞는 말이다. '풀무 (Furnace) 불에 던져 넣으리니 거기서 울며' (마 13/42) 에서 풀무는 풍구다. 풀무에서 일어나는 건 바람 뿐인데 거기 불이라니… 한 걸음 더 나아가, 불공한 말도 있다. 한국어가 '삼천 원 되시고', '차가 밀리셔서 늦으 십니다' 까지 진화(?)한 세상에 왜 예수님은 '돌아가신' 게 아니라, 여전

히 '죽으셨'어야 할까? 차는 밀리시고, 예수님은 죽었다
고?

너무 혼란스러워 일일이 열거하기에 지면이 모자란다.
예수님 태어나시기 전 이스라엘에도 기생, 청지기와 내시,
방백과 같은 직책이 있었을까? 한데 그보다 더 궁금한 게
있다. 한글판 성경이 쓰여온 지 무려 백여 년이 넘었건만,
일개 백면서생인 내가 성경 공부 진척이 보이지 않아, 깡통
소리 내며 (뭘 모르는 사람이 더 시끄럽다.) 이처럼 불평을
늘어놓도록 왜 여태 통용될까? 이대로 가도 되는 건가? 성
경이 쉽게 읽혀 신자가 늘면 문제가 있나? 거기엔 내가 알
지 못하는 까닭이 분명 있을 게다.

하지만 "태초에 말씀이 계셨고, 만물이 그로 말미암아
지은 바 되었다"니, 말씀을 바로 잡아 올바로 펴야, 성령을
더 빨리 영접하게 되지 않을까? 또한 주님의 가득한 은총에
더욱 은혜를 느끼게 되지 않을까? 아멘!

이상은 예순일곱 번째 한글날 즈음 떠오른 단상이었다.

이상과 우상

　　요즘 전 배신을 절실히 체감하고 있습니다. 10 년 전만해도 유비쿼터스의 세계에선 제가 단연 주인공이 될 거로 예측했었거든요. 아, 주인공이 또 하나 있긴 했어요. 로봇. 절 중심으로 해, 제가 미처 다 미치지 못하는 분야는 그가 장악해, 우리는 한 쌍의 주인공으로 인간 생활을 시시콜콜히 조절(?)할 거라고 기대를 한몸에 받았죠. 아니, 보좌할 거라고요. 히히. 그래서 기대주가 된 전 언제 화려하게 인간 무대에 데뷔할 건가, 숨죽여 때를 기다렸어요.

　　한데 그만, 그 자리를 뺏겼습니다. 드라마의 남주와 여주가 바뀐 겁니다. 배역을 빼앗아 간 게 누구냐고요? 짐작하셨겠지만 스마트폰예요. 요즘 세계는 스마트폰이 움직입니다. 누구랄 것 없이 손에 컴퓨터 한 대씩 들고 다니는 셈이죠.

　　그래서 심지어 디지털 친구란 신조어도 생겨났습니다. 문경지교, 지란지교, 관포지교, 붕우유신, 이런 낱말은

어느덧 고어 사전 안으로 들어가 나란히 팔베개하고 잠
들었어요. 친구면 그냥 친구지, 디지털 친구란 또 뭡니까.
얼굴 한 번 본 적 없는, 목소리 한 번 들어본 적 없는, 수천
킬로미터 떨어진 곳의 존재가 SNS란 연결선을 통해 친구
로 등재되는 세상. 자주 연락하지만 만난 적 없고, 헤어
졌지만 늘 연락된다는 이 신묘막측한 세상. 그래서 한자
리에 앉아 눈 마주치며 얼굴 보고 대화하는 게 아니라,
각자 손에 쥐어진 이기(利器)를 통해 문자 메시지로 의사를
전하는 세상, 뭔가 가설무대 같은 냄새가 나지 않습니까.

요즘은 스마트폰을 사용하지 않으면 주위로부터 눈총
받습니다. 카톡을 안 하면 주위와 융합이 어렵다고, 『플
린스톤』 시대 사람 취급받습니다. 한데 가만 보면 비사용
자는 별로 불편을 느끼지 않더군요. 연결이 빨리 되지 않아
짜증 내고 불편해하는 쪽은 사용자더라고요. 왜일까요? 어
느덧 속도에 길들어, 멈추기 싫은 탓인가 합니다.

인간의 욕망 속엔 더 나은 것, 더 빠른 것, 더 편리한
걸 추구하는 본능이 있습니다. 그들은 그것을 이상적 세
계라고 합니다. 인간의 지식이, 지성이 만들어내는 편리한
세상을 이상적이라 하지요.

한데, 전 간혹 두려움을 느낍니다. 더 나은 것, 더 빠른
것, 더 편리한 걸 추구하는 인간이 더, 더에 갈급한 나머지
그 변화의 속도를 더 빠르게 해 달리다 가속(加速)에 갇혀

그 속도 벨트에서 내릴 수 없게 되면 어떤 결과가 올까 하고요. 그땐 속도나 편리가 이상이 아니라 우상이 되는 거겠죠? 이상을 좇다 우상을 섬기게 된 인간들. 속도를 섬기다 예의를 놓치기도 하는 인간들.

우상은 하나님이 아주 싫어하시는 거죠. 구약에서 그리도 엄격하셨던 이유가 다 우상 때문 아니었습니까. 그래서 전 살짝 걱정해 봅니다. 늦어도 14일 길이면 갈 수 있는 광야를 40년 걸려 가게 하신 주관자께서 그럼에도 정신 못 차리고 우상을 섬긴 인간들에게 400년 동안 말씀을 안 주신 뒤, 은혜의 시대를 여셨으니, 혹시 그 은혜의 시간이 4000년이 되지 않을까, 한데 이 인간들이 그럼에도 편리란 우상을 섬기고, 주관자의 소관인 생명을 저희가 주관한다고 생명 공학 운운 떠들어대니, 더 이상은 봐 주실 수가 없으셔 4000년 기한을 못 채우고 오시는 건 아닐까 하고요.

전지전능의 주관자시니 물론 참아서 기한을 채우시리라 믿습니다. 하지만 인간들이 어지간해야 말이죠. 하긴 그래 그런지 요즘 슬로우 라이프란 이름 아래 천천히 가자는 바람이 일기도 합니다. 한데 이도 겉멋 아닌가 합니다. 뒷동산 걸어도 좋으련만 기어코 샌디에이고까지 가야 하고, 생산지가 밝혀진 음식을 먹어야 한다고 까다롭게 샤핑하는 이런 행위들, 모두 삶의 본질에 합당한 건 지요.

물량을 신속하게 이동시켜야 한다고 고속도로가 놓인 이래, 인간의 삶의 속도는 상상할 수 없게 빨라졌습니다. 만일 가속도로 달리던 편리란 이름의 벨트가 어느 순간 딱 멈추게 된다면? 우르르 앞으로 쏠려 일어날 참상… 야성(野性)의 라멕 문화와 신성(神性)의 라멕 문화가 대립한 이래, 요즘처럼 야성이 왕성해진 시대도 드물까 합니다. 야성이 신성을 압도하는 시대니, 제가 인간에게 배신 당했다 해도 하소연할 곳도 없지요.

이처럼 스마트폰이란 우상 때문에 배신당하고 염려에 휩싸인 제가 누구냐고요? 누구겠습니까. 히힛! 시계, 스마트워치로 얼굴 바꾼 손목시계. 주관자께서 영원에 눈금을 새겨 인간의 손에 쥐여 주신, 시간을 드러내는 시곕니다. 저는 태초에 원 웨이로 설정된고로 거스르거나 뒤돌아설 수는 없는 자유롭지 못한 존재입니다. 하기에 걱정은 해 드릴 수 있지만, 여러분을 도와 드릴 수는 없네요. 유감입니다.

명절에 대처하는 나의 자세

아이리스는 우리 가게 단골이었다. 올해 84세인 그녀는 딸 애나가 나와 동갑이어서 나를 딸 대하듯 했다. 아침 산책길에, 저녁 산책길에 어김없이 가게에 들러 안부를 묻고 자신의 안부를 전하던 다정한 이웃. 명절이면 또한 어김없이 음식을 장만해 들고 왔다. 그래서 어느 핸가는 그녀가 만든, 크림치즈와 시네몬 레이즌이 잔뜩 얹힌 라이스 푸딩을 먹고 설사도 했다. 그곳을 떠난 지금은 그것도 좋은 추억거리다.

그들과의 추억 속엔 이런 일도 있다. 어느 명절 엔가였다. 아이리스와 애나는 코스코에 가서 식품 샤핑을 해왔다. 그리고 힘들어 죽겠다고 하소연했다. 그로서리 가게 주인인 내게 그런 푸념을 하다니. 뉴욕하고도 브루클린에는 코스코가 이웃 동네처럼 가까이 있지 않고, 다운타운에나 가야 있다. 그러기에 차가 없는 그들은 옐로캡을 이용해야 했다. (그 먼 데까지는 동네 카서비스도 안 가려

한다.) 그러므로 노력과 시간에 차비까지 합해 계산해 보면 그들은 오히려 과소비한 셈 아니었을까. 먹은 맘 없는 그들의 호소에 웃을 수밖에 없었다.

이렇게 소비에 관한 한, 사람들은 낮은 액면가를 지불해야만 현명한 소비 생활한 듯 심리적 안정을 느끼게 되나 보다. 그러나 진정 현명한 소비는 주머니에서 나가는 액수만 계산해서 되는 일일까? 가령 동네 어귀 개스 스테이션에서 갤런당 50센트 더 비싼 개스를 넣었다 치자. 그게 먼 코스코에 가서 넣고 온 개스 보다 훨씬 비싼 걸까? 가고 오고의 시간과 노력, 소비된 개스의 양까지 계산 한다면.

계절은 추수감사절, 크리스마스, 연말, 새해, 등, 소비하고 먹을 일만 남은 때로 접어들었다. 이름하여 명절의 계절이다. 이때쯤 되면 주부들은 바쁘다. 몸도, 정신도, 마음도. 어떻게 하면 현명하게 시간도, 돈도 절약하여 좋은 추억을 만들까 부심(腐心)한다.

그러기에 이 무렵이 되면 나는 아이리스와 애나를 떠올리며, 오늘날 사람들은 왜 현명한 소비에 전력 투구(?)하게 됐을까 궁금해진다. 과소비도 안 되고, 구두쇠 소리 들어도 안 되고, 적절한 소비란 어떤 것일까. 적절히 절약해 모두를 만족하게 할 수 있는 소비라면 가능하지 않을까. 하지만 그 적절의 기준이 뭘까. 노력 대비, 시간 대비해 저렴하게 구입한다면 현명한 소비일까.

　소비의 목표는 행복에 있다. 그러나 그 달성을 위해 치르는 스트레스-고통이 도를 넘고 있는 요즘이다. 이에 생각이 미치자, 현명하게 살려고 너무 계산하기에 살기가 더 고달파지는 건 아닐까 하는 의구심이 든다. 똑똑하지 않으면 안 되고, 앞서가지 않으면 안 되고, 남보다 더 나아야만 한다는 비교의 욕망이 삶을 더 고달프게 만드는 거나 아닌지.

　한국에선 명절만 되면 명절증후군이란 말이 빠지지 않고 등장한다. 80년대 중반만 해도 들어 볼 수 없었던 말이다. 소득이 늘어나며 쓰이게 된 세태어다. 심지어 명절을 증오(?)하는 일부 젊은 층도 있다 한다. 하지만 과문인진 모르겠으나 여기 살며 명절증후군이란 말을 들어 본 적이 없다. 샤핑에 드는 노동과 비용, 미국인의 가장 강력한 적인 과체중 걱정하는 주부는 수없이 보았지만 친척에게서 받을 스트레스에 관해 얘기하는 사람은 못 보았다. 똑같은 명절인데 왜일까?

　늘 품었던 의문이 요즘에사 어렴풋이 풀린다. 명절에나 만날 수 있는 친척들의 예의(?) 없는 욕망 때문 아닐까 하고. 바로 그 욕망, 상대보다 똑똑해야 하고, 앞서 가야 하고, 더 나아야만 한다는 비교 우위의 욕망이 넘실대는 만남이 정신적 피곤을 불러와 육체적 피곤까지 겹치게 하는 건 아닐지.

짐작이 이에 이르니 진정 현명한 삶이 무엇인가로 생각이 발전된다. 꼭 남을 앞서야 진정 현명한 삶일까? 좀 덜 똑똑하고, 좀 덜 나가고, 좀 부족할망정 자족을 알고, 함께 사는 즐거움을 아는 것에서 멈출 수는 없는 것일까. 칼바람 나게 앞서가는 사람은 정가(政街)와 월가(街)의 소수로 족하다.

하긴 이런 생각하는 나부터 좀 덜떨어진 사람인지도 모르겠다. 그러나 세상은 덜떨어진 사람도 섞여 살아야 한다. 똑똑한 사람들만 살게 되면 쇳소리밖에 더 나겠나. 그러니 이 명절에도 나는 좀 덜 똑똑하게, 우편 주문을 이용해 소비 생활할 것이고, 주위에도 좀 덜떨어지게, 하지만 조금 더 따뜻하게 굴 것이다. 그러지 않아도 스산한 세상, 따뜻하기라도 해야 견뎌낼 것 아닌가.

춘향을 탐하다

　벨뷰 정 선생이 쑥을 가져왔다. 쑥을 담은 봉지에는 그뿐이 아니었다. 머위잎, 참나물까지 봄이 참다랗게(?) 들어 있었다. 봉지를 여는 순간 봄 냄새가 쑤욱 올라와 실내에 퍼졌다. 지난겨울 동안 지표를 뚫으려 힘깨나 썼을 놈들. 드디어 지구를 열어젖히고 예까지 당도했구나!

　정 선생이 돌아가고, 우선 쑥을 씻어 찹쌀가루에 묻혔다. 그리고 밀가루를 더해 전병을 부쳤다. 입안 가득 고이는 봄. 봄을 씹으며 며느리를 불렀다. 역시 그 애도 봄이라며 좋아했다. 하지만 아들은 시큰둥했다. 이게 진정한 한국의 냄새야. 코리안 허브! 내 말에 동의는 하면서도 그 애는 정서적으로 와 닿지 않는 눈치였다.

　오히려 며느리가 더 맞장구를 치며 즐거워했다. 강남 아파트촌 태생이 쑥을 어찌 아느냐니까, 저희 때만 해도 봄이면 봄나물 캐러 다녔다고 한다. 친구들과 어울려 하기 좋은 봄놀이였다고. 그때만 해도 자연이 살아 있었구나. 하지만 지금 아이들에겐 책으로, 상상으로 떠올려 보는 자연일 뿐이겠지? 야외에 나가 자연 체험을 해 본다 해도 기획되고 디자인된 자연일 테고. 며느리와 주섬주섬 대화를 나누며 문득 아들에게 미안한 마음이 들었다.

쑥 향을 모르는 건 그 애 탓이 아니다. 그 애가 고교를 마칠 때까지 산 곳에선 한국 식품 조달이 자유롭지 못했었다. 봄이면 쑥을, 냉이를, 두릅을 그리워했고, 여름이면 호박잎을 머릿속에서만 상상해 보며 해를 보냈다. 하니까 아들이 쑥 맛을 쑥으로 알게 된 건 당연하다. 그러지 않아도 그래서 그때 그 애에게 무척 미안했고, 염려스럽기도 했었다. 한국의 자연을 맘껏 호흡했던 부모와 달리, 대도시 뉴욕의 회색 콘크리트 속에서 성장하는 아이의 정서가 회색이 될까 봐. 그리고 그게 이제 현실로 나타난 셈이다.

그러자 문득 오래전 ESL 클래스메이트 타티아나가 떠올랐다. 스피치 연습 클래스에서 큰 건물에 들어가 봤을 때의 느낌을 마지막 과제로 받았을 때, 그녀는 끝까지 발표를 못 했다. 그때 아마 나는 한국 방문을 마치고 돌아왔을 때 JFK 공항에 도착한 느낌을 발표했을 게다. 러시안을 사용하는 그녀는 그러나 우크라이나 출신이어서 세상 견문이 적고, 아는 바가 없어 적당한 제재를 찾을 수 없다고 고백했다. 기말시험인데 발표를 안 하는 그녀로 해서 모두 조바심이 났다.

　마지막 수업 시간, 18명 학생의 발표가 다 끝나고, 딱 한 사람, 그녀만 남았다. 모두의 시선이 쏠리자 그녀는 순간 우뚝 일어섰다. 그리고 마른 침을 삼키며 앞으로 나갔다. 학생 전원이 자신들이 방문했던 정부 청사나 대 저택, 대성당, 교회, 박물관 등에 대해서 발표를 했었기에 모두 그녀의 입을 주시했다. 그녀는 천천히 정확한 발음을 하려 노력하며, 한 대저택에 대해 묘사를 시작했다.

　흰색의 대저택 안은 흰색의 레이스 커튼과 인상파의 그림으로 꾸며져 있고, 넓은 잔디밭과 수영장이 있는 마당 뒤쪽엔 포도 농원이 있어, 포도가 익어 가는 가을이면 감사 기도를 올리고 포도주를 마실 것이라는, 그것은 앞으로 그녀가 살게 될 꿈속의 저택 설계도라 했다. 긴장했던 교실엔 그녀의 스피치가 끝나자 놀람과 감동의 박수가 쏟아졌다.

　어떻게 그런 생각을 해냈을까? 곤경을 상상력으로 돌파한 그녀에 대해 교수는 흥분하여 칭찬을 아끼지 않았다. 수업이 끝나고 나는 타티아나를 힘껏 껴안아 주었다. 고국에 두고 온 딸이 지금쯤 뭘 하고 있을까 한껏 상상하며, 그리워하는 가난한 50 대 이민자의 꿈. 눈물이 핑 돌았다. 그때 그 교실 인원 19 명 중 한국인은 나 혼자였고, 나머지는 모두 러시안쥬이시들이었다.

　　그래서 나는 타티아나로 해서 체험해 보지 못했으면 상상으로라도 경험해 볼 수 있다는 걸 실감하게 됐다. 상상력이란 사물과 사람의 인식을 연결해 주는 매개체라고 프랑스의 어느 석학은 이미 갈파하지 않았던가. 그래서 아들이 쑥을, 한국의 봄을 상상으로라도 알기 원해, 한국의 봄에 대해 몇 마디 더 덧붙였다.

　　하지만 감흥을 보이지 않는 그 애 표정에 그만 입을 다물었다. 하긴 요즘엔 자연을 자연이라 부르지 않는다. 자연이란 이미 인공 자연이 되고 말았으니까. 시애틀의 봄을 대표하는 스캐짓 밸리의 광활한 튤립밭도 재배된 자연이지 야생이 아니다. 그래서 요즘엔 자연 대신 생태라고 부른다. 심지어 생태 관광이란 말도 생겨났다.

　　실상 말하자면 나 자신도 생태에 대해선 어둡다. 어린 시절 쏘다니던 산과 들판으로부터 떨어져 온 지 무릇 얼마이던고. 그저 그곳을 그리워만 할 뿐, 이곳에선 어쩌는 도리가 없다. 그랬기에 늘 한국의 봄을 상상으로만 즐겨왔다. 전혀 모르는 것에 대한 상상은 참을 수 있으나, 눈에 잡힐 듯 잡히지 않는 상상은 참으로 사람을 감질나게 한다. 그래서 봄이면 늘 안타까웠다. 한데 오늘 느닷없이 상상의 봄이 아닌 실제의 봄에 맞닥뜨리게 될 줄이야.

　　이 귀한 한국의 봄 내음을 그냥 보내긴 아쉬웠다. 그래서 입속에 퍼지는 춘향(春香)을 꿀꺽 삼키기 아까워

입안으로 이리저리 살살 굴려 보았다. 변 사또 춘향이 어르듯? 하하! 그랬다간 이몽룡에게 깨지지. 그냥 잠깐만 어르어 보자고. 달빛 창가에 비친 나뭇가지 그림자가 나를 찾아온 임인 줄로 착각하다 순간 깨어날 그 짧은 찰나만이라도. 아! 이 정도면 내 탐심(貪心)도 꽤 깊은 게 아닌가.

봄이 깊어 가고 있다. 봄마다 봄마당에서 봄을 캐 올리는 정 선생에게 진정 복 있을진저!

큰일 났다

잔뿌리의 잔 말씀

　제 이름은 잔뿌리입니다. 원뿌리도 못 되고, 곁뿌리도 못 되는 잔뿌리. 하찮은 존재죠. 하지만 제 의견으론 제가 그렇게 무시할 존재는 아니란 생각입니다. 건방지다고요? 제 말씀을 들어 보세요.

　나무, 하면 사람들은 흔히 지상부에 솟은 나무만 봅니다. 아름답다, 장하다, 감탄하며 쓰다듬기도 하죠. 그 나무 중엔 간혹 놀랍게도 천 년, 이천 년을 버텨 온 것도 있습니다. 그러나 이처럼 생존하기 위해선 지상부보다도 그 아래에서 수고하는 지하부가 더 튼실해야 합니다. 이 점을 사람들은 흔히 간과합니다.

　아시다시피 나무는 지하부-뿌리가 없으면 존재할 수 없습니다. 나무를 버텨주는 지지(支持) 역할, 흙 속의 산소를 흡수하는 호흡 작용, 광합성으로 만들어진 유기 양분을 녹말의 형태로 저장하는 저장 작용, 뿌리털을 통해 물과 무기 양분을 흡수하는 흡수 작용, 이 모든 생존의 작업이 뿌리에서 이루어집니다. 생명 조제 공장이라 할까요. 그러기에 나무의 보이는 부분인 지상부가 훌륭하기 위해선 보이지 않는 지하부, 즉 뿌리가 건강해야만 합니다. 이 점 꼭 기억하세요.

이리 중요한 뿌리기에 사람들은 옛사람들이 말한 '뿌리 깊은 나무가 바람에 흔들리지 않는다'란 시구를, 근본의 막중함을 말할 때 자주 인용하곤 합니다. 하기는 뿌리가 깊어야 물의 저장이 풍부해져, 강을 이룬 나머지 바다에 이르지 않겠는지요. 요는 뿌리입니다.

사람들은 이 뿌리를 볼 때, 원뿌리 곁뿌리는 뿌리로 여기면서도 저, 잔뿌리는 뿌리로 여기지 않는 경향이 있습니다. 화분 갈이 해 보셨죠? 화분을 옮기려 흙을 쏟았을 때, 식물의 아랫부분에 촘촘히 감겨 있는 뿌리들. 그게 바로 저, 잔뿌리입니다. 단단히 감겨 있는 저희가 대지로부터 물과 양분을 빨아올려 곁뿌리로 전달해야 식물은 생명을 유지합니다. 한데, 많은 분이 저희를 무시하여 마구 훑어내 버리기도 합니다.

하지만 저희를 그렇게 소홀히 여기셔도 될까요? 원 뿌리는 없어도 잔뿌리는 있어야 식물은 생명을 유지합니다. 억지라고요? 예를 들어 봅니다. 분재(盆栽)의 경우, 분재하는 분들은 일부러 원뿌리를 잘라내어 성장을 억제해 원하는 모양을 얻어냅니다. 이때 원뿌리 대신 생명을 버티게 만드는 것이 바로 저, 잔뿌리 아닙니까. 그러기에 실로 잔뿌리가 뿌리의 근간이라고 감히 주장합니다. 아니, 나무의 근간이라구요.

그러기에 나무를 살리는 힘은 튼튼해 보이는 나무 허리도, 폭풍과 맞서 싸우는 줄기도 아니고, 뿌리, 그것도 원뿌리에 있는 것이 아니라, 잔뿌리에 있습니다.

들어 보셨어요? 호밀 한 포기에 잔뿌리가 얼마나 있는지를. 호밀 한 포기에 잔뿌리는 1천3백만 개로, 서울서 부산에 이르는 거리라 합니다. 그 잔뿌리에 달린 실뿌리는 또 얼만지 아십니까? 무려 1백4십억 개쯤이며, 이는 남극에서 북극에 이르는 거리라 합니다. 놀랍지 않습니까. 자연을 아우르는 이 신비스러운 구조가.

CNBC의 보도로는 미국민의 생활 고통 지수는 현재 28년 내 가장 높은 수치를 기록하고 있답니다. 경제 운용하는 사람들이 원칙을 지키지 않았기에 초래된 현실입니다. 또한, 한국 사회에선 심지어, 전직 대통령이 자살하기도 했습니다. 대통령이 되기 위해선 만만치 않은 세월을 보냈을 터인데, 그 모든 걸 물거품으로 만들어 버렸습니다. 왜일까요? 사소하다고 원칙을 가볍게 여겼던 게 아닐는지요. 해외 한인 사회에서 일어나는 수많은 갈등도 바로 이 원칙을 하찮게 여겨 일어나는 비극(?)이 아닐까요? 그뿐 아닙니다. 풀뿌리(民草)에서 출발한다는 민주주의가 간혹 흔들리는 이유 또한 그 뿌리 중에서도 잔뿌리가 튼튼하지 않기 때문이 아닐까 합니다.

그러기에 저는 감히 말합니다. 잔뿌리가 건강해야 나무가 튼실하게 자라는 것처럼 사회도 원칙이 지켜져야 온전하고 건강한 사회가 이뤄진다고요. 하긴 원칙 지키기는 불편하고, 변칙의 과정은 달콤하니 제 말이 궤변처럼 들릴 수도 있겠죠. 그러나 상상해 보십시오. 원칙이 잘 지켜져, 도도하게 흐르는 강물처럼 신뢰가 사회 전반에 넘쳐, 드디어 모두가 편안한 세상에 이르는 환상(?)을. 생각만 해도 흐뭇하고 즐겁지 않으십니까? 그러니 원칙이 잘 지켜져야 튼튼한 사회 구조가 이루어진다는 잔뿌리의 잔 말씀, 진부(陳腐)하다, 건방지다, 나무라시겠는지요. 에헴!

역설의 역습

담장 위로 다람쥐가 빠르게 지나갔다. 두 살 잽이가 손뼉 치며 외친다. 멍멍이! 움직이는 건 모두 개로 알고 있는지 애는 다람쥐도 멍멍이고, 고양이도 멍멍이다. 위의 두 놈도 쫓아와 창에 붙어 선다. 예의의 질문이 쏟아진다. 쟤는 어디 살아? 숲속 작은 집. 엄마 아빠 있어? 응! 근데 왜 같이 안 있어? 쟤, 말 안 듣고 혼자 놀러 나온 거야. 네 살 잽이 질문을 받아 줄 새 없이 여섯 살 잽이가 끼어든다. 가족은 같이 있어야지, 그치? 응, 그럼! 쟨 동생 있을까? 있겠지. 몇 명 있을까? 그 사이 다람쥐가 담장 저편으로 모습을 감췄다. 자, 다람쥐 갔어. 그만 물어보고 저리 가서 앉자.

소파에 돌아와 앉으니 둘째가 책을 가져 왔다. 책 읽어 줘. 『안-녕-첫-눈-내-린-날-아』 제목을 한 자씩 떼어 읽으며 글자를 가르쳐 줬다. 린, 아린의 린이지? 응, 기린의 린! 아린이의 집중력은 금방 분산된다. 우리 기린 본 적

49

있어, 동물원에서. 첫째가 끼어들었다. 사슴은 길에서도 봐. 엄마 사슴, 아기 사슴. 길에서뿐인가, 사슴이 뒷마당에 와서 놀고 가는 집도 있다.

다람쥐, 사슴만이 아니다. 잔디를 들쑤셔 놓는 것은 두더지의 소행이 분명하다. 라쿤 가족이 환풍기를 통해 집 밑으로 들어가 그 밑에 들어 있는 시설물을 망가뜨리는 일 또한 너무 흔하다. 뱀을 애완물로 기르는 사람도 있다. 뒷마당에 곰조차 어슬렁거린다. 언제부터 이런 동물들이 집 주변으로 모여들었을까?

가축들과 집 주변 동물들은 그럼 어찌 됐나. '마당을 나온 암탉'은 닭 사육장으로, 자손의 혼인날 혼주 얼굴을 흐뭇하게 해주던 돼지는 돼지 사육장으로 갔다. 참새도 보기 힘들다. 성령이 비둘기 같이 내려왔다는 성구(聖句)도 무색하게 요즘 비둘기는 유해 야생조류로 지정되어 번식을 억제당하고 있다. 솔개미 떴다, 병아리 감춰라! 외치며 뛰놀던 일이 어제 같은데, 솔개 본 지 언젠지 모른다. 지상의 첫 정찰병 까마귀는 또 어떤가. 음침하게 검은 날개를 활짝 펴고 유유히 창공을 휘젓던 그놈들은 비상(飛翔)의 본능을 망각한 것처럼 도로 위를 어정어정 걸어 다니며 부리를 땅바닥에 비벼댄다. 깡통 앞에 놓고 동전 기다리는 비렁뱅이처럼. 멋지게 활강하며 먹이를 낚아채던 야성을 상실한 놈들의 그 검은 위용(?)이 참으로 슬프다.

유일한 예외가 있다면 개다. 개는 개집에서 안방으로 거주지가 달라졌다. 신분 상승이다. 의복과 장신구로 치장한 뒤, 주인과 침대도 같이 쓴다. 이름도 개가 아니다. 반려견이다. 심지어 주인이 사망하며 그 반려견에게 거액의 유산을 상속하는 일이 이젠 언론 가십난이 아닌 기사에 오르기도 한다. 그러니 인간에게 인격이 있듯, 요즘 개에겐 견격(犬格)이 있다. 아직도 촌스러움을 면치 못해 이 신문명에 적응하지 못하는 사람이 만일 이 견격을 무시했다간 법의 제재를 받는다. 그럼 인간은 왜 개에게만 관대할까? 거기엔 목적이 있다. 개의 개다움을 박탈하고, 인간 대체물 비슷하게 조작하여 곁에 두며, 반려동물로부터 위로받으려는 목적, 결코 개에 대한 자비가 아니다.

하면 이 무수한 변화는 언제 시작된 걸까? 자연을 상실한 때다. 하긴 이건 달걀이 먼저냐, 닭이 먼저냐의 문제와 같다. 자연을 상실해서 변화가 온 건지, 인간이 변해서 자연을 상실하게 된 건지, 두서(頭緖)를 가릴 수 없다. 아무튼 자연이 파괴될수록 야생 동물들은 인간 주변으로 모여든다.

인간의 인성이 따뜻했을 땐 그 주변에 가축들이 모여 살았다. 서로를 길들여가며 의지해 살았다. 그러나 인성이 소실되기 시작한 이래, 그들은 사라져 갔다. 더욱 역설적인 것은 생태계가 파괴될수록 인성도 더욱 파괴되어 가고 있단 점이다. 악순환이다.

마치 절벽 밑으로 떨어지는 바윗덩어리처럼 지금 세상은 굴러 내려가고 있다. 이제 남은 것은 속도, 아니 시간의 문제일 뿐이다. 얼마나 더 빨리 망가질 것인가. 파괴된 인성으로 해서 일어나는 각종 사건이 아침마다 뉴스가 되어 쏟아진다. 정말 종말은 생각보다 빨리 올 것인가. 모 고교의 총기 사건 이후 인터넷을 달군 시 『우리 시대의 역설』, '건물은 높아졌지만 인격은 낮아졌다. 고속도로는 넓어졌지만 시야는 좁아졌다. 공기 정화기가 있지만 영혼은 더 오염됐고, 원자는 쪼갤 수 있어도 편견은 부수지 못했다. 달에 갔다 왔지만 길 건너 이웃을 만나기는 힘들어졌다.~ '가 정말 실감 나게 심금을 울리는 요즘이다. 이 시에 한두 줄씩 자신의 의견을 보태는 게 시체(時體) 문화라니, 해서 한 줄 보태 '인간 주변으로 야생 동물들은 모여들지만, 정작 함께 살던 가축은 축출 당해 거기 없다.' 라고 상실감을 드러내 본다.

두렵다. 강아지(?) 세 마리를 가슴에 꼭 끌어안아 본다. 이 강아지 세 마리들만이라도 인성을 상실하지 않은 자연 속에서 키우고 싶은데, 이미 자연은 개발 논리에 밀려, 디

자인된 인공 자연으로 대체된 지 오래다. 할미의 속을 아
는지 모르는지 아이들은 마냥 즐겁기만 하다.

풍진불가

"냄새 나는 차이니스, 너흰 차이나로 돌아가야 해!"

이렇게 적의를 들어내며 밉상을 부리는 학생들은 대개 단골이 아닌, 러시안이거나 이탤리언, 그리고 흑인이었다.

"차이니스가 네 밥을 빼앗니? 왜 차이니스를 씹니? 미안하게도 난 차이니스가 아니고, 한국인이야. 만일 내가 차이니스여서 차이나로 가야 하면, 넌 아프리카로 돌아 가야 공평하지 않아? 내가 네게 아프리카로 돌아가라고 말해도 기분 괜찮겠어? 편견 갖고 말하는 널 손님으로 존중할 수 없으니, 당장 내 가게서 나가! 빨리!"

인종 편견을 드러내거나, 버릇 없이 구는 학생들을 나는 가차없이 가게에서 내쫓곤 했다. 사과하지 않는 한 절대로 가게에 들이지 않았다. 가게에 들어와 늘상 노닥거리는 또래들에 낄 수 없는 그들은 결국 사과하고 다시 가게 손님이 되곤 했다.

　대신 누구에게나 공평하게 대했다. 가게 곁의 운동장에서 놀다 돈이 없어 물 사 먹을 수 없는 학생들에겐 수도물을 제공했고, 너무 늦어 귀가 편을 놓치면 가게에서 보호해 주며 부모들이 와서 데려 가도록 했다. 배 고픈 눈치가 보이면 그 날 팔다 남은 빵을 제공하기도 했다. 존중과 대화, 이건 우리 가게의 원칙 같은 것이었다.

　단호한 우리 태도에 대해 대개의 선생들도 동의했다. 그들은 무엇 보다 우리를 신뢰했다. 학생에게 해 되는 물건 안 팔기, 약한 학생 보호하기, 야박하지 않은 인심에 대해, 호의를 보이며 우리에게 어려운 상황이 벌어지면 도움을 아끼지 않았다.

　그러다 보니 학생 중엔 우리 엄마 같아, 라거나, 가게 문 열고 들어 오며, 아! 집에 온 것 같아, 라고 말하는 귀여운 아이들도 있었다. 이런 분위기가 되도록 우리는 온갖 노력을 했다. 뒤로 떠밀려 낭떠러지로 떨어지지 않기 위해, 온 종일 발목에 필요 이상의 힘을 주며 버티고 살았다.

　이 시절, 말썽꾸러기를 식별하는 한 방법은 우습게도 어떤 상표의 옷을 입었는가였다. 엘엘빈이나 랜즈앤드를 입은 애들은 그저 그렇거나, 온순하거나, 얌체였다. 그러나 노스훼이스를 입은 애들은 대개 첫 마디부터 무작정 거칠었다.

그 노페(요즘 한국에서 그 야단이라는)를 입은 한 학생이 골치거리로 떠오른 즈음이었다. 사는 것도 별로 없이 늘상 와서 우리를 오만하게 내려다 보며 속을 뒤집어 놓곤 하던 어느 날, 넌 왜 늘 우리를 거만하게 내려다 보니? 그 터무니없는 우월감이 어디서 오지? 물었더니, 그애는 서슴없이, 블랙 파워! 내뱉곤 흰 이를 드러내며 정한(精悍)하게 씩 웃었다. 그 순간 나는 소스라치며 그 원인이 무엇이었던가 금시 깨달았다.

그들에겐 그 학생 말마따나 힘이 있었다. 노동자에게 노조가 힘이듯 커뮤니티가 있었다. 그들은 문제가 생기면 곧장 시스템을 발동하여, 원인을 분석하고 대처 방안을 내놓음과 동시에 행동 강령을 제시했다. 그때 뉴욕 쪽에서 그런 일은 대개 잭슨 목사의 명의(名義)였다.

그러나 문제가 터지면 그제야 해결을 위해 노심하는 한인들은 혼자 거의의 일을 처리해야 했고, 유태인 커뮤니티에 가서 변호사를 얻는 게 고작의 해결 방법이었다. 그러기에 일만 터지면 가게를 빼앗기곤 했다. 트로피카나, 레드애플 야채 가게가 흑인 커뮤니티에 굴복하여 가게를 내 놓은 게 그 좋은 예였다.

대책 없이 잘난 척하고 대책 없이 힘을 모으지 못하는 커뮤니티, 그게 우리의 자화상이다. 그러기에 한흑 갈등의 진정한 원인은, 한인들이 흑인들을 업수이 여기기 보단, 그 이상으로 그들이 한인들을 깔보고 있는 데 있다. 의견을 모으지 못해 각자 협상자라고 나서 다 된 밥에 재뿌리고, 밀면 나가자빠지고 찌르면 무너지는 커뮤니티를 누가 존중하겠는가. 밥맛 없겠지만 구심점 없는 한인은 그들의 따끈따끈한 밥이다.

한흑 갈등 문제가 불거지면 한인 언론조차도 한인들의 교만이 문제를 불러 일으킨다고 원인을 진단한다. 하지만 문제의 본질은 절대 그에 있지 않다. 어린 학생도, 블랙 파워!라고 자랑스럽게 말할 수 있듯 우리도 한인 파워!라고 내세워, 대등한 입장에서 문제 해결을 모색할 때 한흑 갈등은 사라질 것이다. 힘의 균형을 위해 우리가 달라져야 한다. 좋은 게 좋은 것은 나쁜 결과를 초래할 수도 있다.

이 풍진 세상을 살아 가기 위해선 풍진불가(風塵不可)라고 부르짖기만 해 풍진을 잠 재울 수 없다. 풍진을 잠 재우는 것은 힘이다. 힘이 없는 집단은 경쟁에서 도태될 뿐이며, 경쟁에서 자기 비하는 자살 행위다. 텍사스 한흑 갈등이 봉합되어 가는 것 같아 다행이긴 하지만, 현재 내가 살고 있는 워싱턴주에서도 불거질 수 있는 일이기에 외람되나마 경험에 의한 소견을 밝혀 보았다. 한인 커뮤니티에서 더 이상 문제의 본질을 호도(糊塗)하는 일이 없기를 바란다. 껍질 얇은 파이는 슬쩍 건드리기만 해도 꼭 깨진다.

큰일 났다

색다른 신문 기사 제목이 눈에 쏘옥 들어왔다.

미래 화성 식민지 최고 직업은?

이미 c s 루이스는 말하지 않았나. 상상력이란 우주의 의미를 여는 열쇠라고. 그래 그 상상력이 참신(?)하게 느껴진 나머지, 기사를 계속 읽었다.

"화성과 같은 행성에 제 2 의 지구, 즉 인류의 우주 식민지가 건설될 가능성이 있다면, 이를 전제로 화성 식민지에서 희망찬 미래를 보장할 직업은 뭘까?

『화성에서 사는 법』의 저자 로버트 주브린 회장이 추천하는 최고의 직업은 건설업이다. 한데 의외로 그 건설업이 건설업체의 설립이 아니다. 반드시 현장 노동자가 돼야 하며, 아직 개척되지 않은 지역에서 작업해야 하는 기술을 배우란다. 그래서 작업 중간 휴식 시간마다 주변의 화성 표면을 탐사하면, 손쉽게 거부 반열에 오를 수 있다 한다. 화성 표면엔 값비싼 백금과 핵융합로의 핵심

연료인 중수소 등 유용한 광물 자원이 발에 치일 정도로 많아, 이를 모아 팔면 백만장자가 되는 건 일도 아니라고.

이렇게 종잣돈이 모이면 2단계는 우수한 엔지니어들과 팀을 이뤄 화성을 지구화한다. 즉 화성 표면을 지구의 흙으로 덮어, 식물을 심고 인공 강우를 내리게 해, 호수나 바다를 만든다. 그 뒤, 경매를 통해 가장 많은 금액을 제시한 사람에게 매각하면 화성 최고 갑부는 시간 문제다. 물론 이처럼 기막힌 직업에도 위험 부담은 따른다. (하략)"

대동강물 팔아먹은 봉이 김선달보단 공을 더 들였으니 반드시 대가는 얻어야겠지. 기사를 읽으며 무심히 빈정거리던 나를 마지막 구절이 딱 때렸다.

"하지만 화성이 누군가에게 기회의 땅이 될 것임은 분명하다."

현대 문명이 깃털을 밀랍으로 붙이고 날아올라 미궁을 탈출한 다이달로스의 상상에서 발아된 것임을 참작한다면, 아주 웃고 넘길 일도 아니다. 슬며시 심각한 생각이 들었다.

누가 알랴. 제 생명이 어디에서 온지도 모르는 주제에 이젠 스스로 제 생명을 복제해내겠다고 설치는 세상이다. 이미 복제 양 돌리가 세상을 다녀갔다. 최근 한국 내 연구진은 사람의 피부 세포를 복제해 배아줄기 세포를 만드는 데 성공했다. 불임 치료 후 남은 수정란 대신 체세포를 복제해 인간 배아줄기를 만든 건 미국에 이어 세계 두 번째란다. 물론 상용화까지 넘어야 할 산이 많지만, 하겠다면 해내는 게 인간이란 동물이다. 이제 복제 인간 만들어내는 건 시간에 달렸다. 난치병 환자 맞춤형 세포 치료제로 개발된 거라지만 유혹에 대해 끝장을 봐야 끝나는 게 인간 아닌가. 삼가는 게 없이, 참지 못하고 분명 이를 이뤄낼 거다. 나도 인간이지만 인간 참 무섭다.

그러니 신도 인간이 징그럽지 않을까? 악착같이 따라붙어 신의 영역까지 휘저으려고 하는, 욕망 덩어리 인간이니. 한데 이를 증명이라도 하듯 그 후 또 언론 보도가 이어졌다.

"천문학자들이 지구와 가장 유사한, 뜨겁지도 차갑지도 않은 행성을 발견했다. 지구와 크기도 비슷한 이곳은 생명체 거주 가능 영역으로 평가받는 골디락스 영역에 있다. 항공우주국은 태양계가 아닌 다른 항성 주위를 공전하는 지구형 행성을 찾기 위해 발사된 케플러 우주 망원경이 이를 발견했다고 한다.

버클리대의 천문학자 교수 조프 마시는 '생명체가 존재하기에 필요한, 이렇게 좋은 환경의 행성을 더 발견하지 못했다'고 말했다. 또 지구 보다 약 10% 큰, 케플러-186f로 명명된 이 행성은 지구에서 백조자리 방향으로 500광년 떨어진 곳에 있으며, 생명체 존재를 위해 필요한 액체 상태의 물을 함유하고 있다고 말했다. (중략)

　마시는 이곳의 평균 기온은 봄의 해 질 녘이나 새벽 때와 비슷하다며, 사물이 얼지 않을 정도의 기온으로 보면 된다고 설명했다. (하략)"

　우주에 식민지를 경영할 지구인, 제 생명을 제가 복제해낼 지구인. 이런 인간들이라면 하나님의 거처를 찾아내는 것도 시간문제 아닐까. 어느 날 갑자기, '하나님이 계신 행성을 찾았다'란 기사를 보게 된다면? 어쩐지 소름 돋는다. 심판의 하나님이 아니신가.

　"하나님! 여기 계셨구먼유. 을매나 저희가 찾아 헤맸는지 아세유? 억 년을 헤맸구먼유."

　어느 날 하나님 어깨너머로 기웃이 들여다보며 능글맞게 지껄일 인간은 누가 될까? 그는 계속 지껄이며, 여기 선악과가 맛있다던데 하나 줘 보실래유? 그리고 하나님도 하나 드셔 보셔유, 하지 않을까? 그러면 너무 징그러운 나머지 하나님께선 들고 계시던 숟갈로 그 인간 마빡을 한 대 딱 때리지 않으실까? 아니면 너무 괘씸한 나머지 바퀴벌레 박멸하듯 인간들을 난짝 들어 당신 계시던 행성에 옮겨 놓으시고, 한숨과 함께 지구를 대청소하지 않으실까? 은혜의 하나님이시니.

　인간이 만든 로봇이 지능과 감성이 생겨, 인간을 습격해 봐야, 인간도 하나님 심정을 알게 될 게다. 어

쨌거나 악착 맞은 인간에 의해 하나님 쌩얼을 보게 될 날도
멀지 않은 것 같다. 아, 참 큰일 났다!

**특정 사투리는 친밀한 분위기 조성을 위해 차용해 봄.

지고이네르바이젠

　어느 핸가, 새해 첫날이었다. 마당에서 화창하게 떠오르는 해를 보고 있자니 시궁창의 개스처럼 우울이 부글부글 끓어 올랐다. 또 한 해가 간 거라고? 그래 첫날이라고? 흐르기만 하고 돌아오지 않는 시간을 인간 맘대로 재단해서 첫날이라고? 오늘에 묶여 꼼짝 못 하는 게 인간인 주제에? 나이 들수록 새해 오는 게 달갑지 않았다. 한계 설정에 부딪혔다고나 할까, 서머싯 모옴 말대로 '인간의 굴레'에 묶였다고나 할까.

　지나간 많은 새해 첫날들 중에도 이런 기분이 안 든 건 아니었지만, 그래도 첫날에 대한 예의를 지키려 새로운 마음 자세를 갖도록 노력은 했다. 한데 그 핸 왠지 맘껏 망가지자 하는 자포자기의 심정이 되었다. 그때 문득 한국 여류시인들의 대모라 일컬어지는 K 시인이 떠올랐다.

　그분은 대학 때, 동아리 모임에서 만난 타 대학 친구들의 스승이었다. 워낙 유명한 분이었다. 그래 그런 분을

스승으로 모신 친구들이 슬쩍 부러웠고, 그분 강의도 꼭
듣고 싶었다. 하지만 친구들 말을 듣고 생각이 바뀌었다.

그분은 작품 쓸 때면 창문 커튼을 꼭꼭 닫아 어두운
조명을 만든 뒤, 『지고이네르바이젠』을 듣는다고 했다.
그렇지 않으면 시가 써지지 않는다고 했단다. 그 말을 듣고
나는 그만 푸하하하 웃고 말았다. 그건 시를 짜내는 거잖아.
샘물이 고이는 것처럼 마음에 고인 것을 길어 올려야 그게
진짜 시지, 짜내는 건 가짜잖아.

가장된 우울로 쓰여진 가짜 시. 그 후로 나는 그분을
우습게 알게 됐고, 『지고이네르바이젠』도 우스운 음악
으로 생각하게 됐다. 한데 그 날 왜 하필 그분 생각이
났을까? 나도 짐짓 우울을 과시하여 새해 첫날 시간에게
응석을 부려 보고 싶었던 걸까?

얼른 들어와 컴퓨터를 켜고 사라사테의 『지고이네
르바이젠』을 검색해 봤다. 비 내리며 바람 부는 가을날
처럼 쓸쓸하게, 달빛 쏟아지듯 감미롭게, 우울한 마음 바닥
을 긁어 줄 바이올린의 음들을 기대하며. 많은 연주자의
이름이 창에 우르르 떠올랐다. 어떤 연주가 우울을 잔뜩
비벼, 슬픈 비빔밥을 만들어 줄 것인가. 골똘히 찾다 보니
제임스 라스트라는 이름이 눈에 띄었다. 라스트? 재미있는
라스트 네임이네.

　클릭과 동시에 음악이 쏟아져 나왔다. 한데, 이게 뭐지? 고색창연한 연주자들은 어디 가고, 캐주얼 복장의 연주자들이 흥겹게 몸을 흔들며, 감정을 실어 음을 살려 내고 있었다. 우울은 야간 경기장의 백구(白球)처럼 뻥 쳐내고, 즐거움에 가득 찬 모습. 쓸쓸해서 아픈 기본 정조(情調)는 그대로였지만 연주자들이 흥겨우니 청중도 함께 몸을 흔들며 손뼉 장단으로 모두 연주에 참여하여 선율을 즐기고 있었다. 그야말로 축제 한 마당이었다. 배반당한 기대. 그러나 배반당했어도 좋았다.

　나는 가족 모두 불러 그 흥겨움을 함께 즐겼다. 새해 첫날 기분이 이 정도는 돼야지, 뭐! 너스레를 떨며. 지옥에서 천국으로 승천한 기분이었다. 그리고 큰 깨달음 하나를 얻었다. 똑같은 음 체계를 갖고도 우울한 아름다움을 만들어내는 연주자가 있는가 하면, 천국으로 안내하듯 행복한 아름다움을 만드는 연주자도 있구나. 순식간에 드러난 두 갈래의 길. 이건 순전히 발상의 전환 때문이었다. 소위 패러다임의 변화였다.

　그 후로 나는 제임스 라스트의 팝 오케스트라를 사랑하게 됐다. 다른 시각으로 생을 바라보도록 노력하게 됐다. 그리고 조작된 우울로 영혼을 쥐어 짜내어, 가화 (假花)를 만들어 내던 그 노시인도 용서(?)하게 됐다. 시간의 힘이었다. 변화하지 않는 것이 어디 있으랴.

큰일났다

　자천 타천, 시대의 논객 중 하나인 진중권은 그의 저서 『놀이와 예술 그리고 상상력』에서 주장한다. 환경의 변화로 새로운 세대는 문자적 사유가 아니라 이미지적 사유를 하고 있다. 그러므로 이젠 아는 것이 힘이 아니라, 상상력이 힘이다. 미래의 생산력은 상상력이다. 미래의 윤리학도 상상력이 될 터이다. 바꿔 말해, 미래엔 발상을 전환하지 않는 한 삶이 유지되지 않는다는 것이다.

　하여 맹하(孟夏)에 엄동(嚴冬)을 생각해 본다. 이제 이 해도 중반을 넘겼다. 곧 가을이 내리면, 겨울의 눈 쌓인 언덕을 내려가야 하리라. 새해 첫날 이루고자 소망했던 것들도 소실점을 향하여 사라지게 되리라. 그때 우리는 또 무엇을 꿈꾸고 있을 것인가. 온 길을 돌아봐 그 중간 점검을 해야 할 이 시간. 그러므로 나는 지금 다시 발상의 전환을 꾀하려 한다. 공허하고 어두운 내 안에 빛이 가득 쌓이길 소망하며.

여백/21 그램을 위한

서울에서 친구들을 만났을 때다. 우리 중 가장 명랑해, 늘 주위를 행복하게 만드는 정은이가 불쑥 말했다.

"은퇴하고 나면 멋지고 우아한 은퇴 생활이 기다리고 있을 줄 알았어. 한데, 웬걸. 손녀 봐 줄 일이 기다리고 있을 줄은 전혀 생각지 못했네. 하하!"

40년 교사 생활 끝에 은퇴한 정은이는 여전히 통통한 손등으로 입을 가리며 유쾌하게 웃었다. 역시 40년 교사 생활을 끝낸 다른 친구들도 모두 공감 어린 표정으로 웃었다. 심지어 퇴임하던 해에 폐암 수술받은 친구조차 학교에서 손녀 데려올 시간이라며 서둘러 자리에서 일어섰다. 여자 경우엔 처성(妻城)이 아니라 부성(夫城)이 되겠지만, 처성자옥(妻城子獄)이란 말이 있다. 그러니 이들은 아직도 자옥(子獄)에 갇힌 할머니들이라고나 할까.

손녀가 걸핏하면 하는 말 중에, 난 케이지에 갇혔어, 하는 말이 있다. 답답한 걸 못 견뎌, 옷조차도 붙는 건 못

입는 애가 좁은 공간에만 들어가면 이렇게 말해서 주위를 웃기곤 하는데, 간혹 그 애 말이 실감 날 때가 있다. 그래서 그때마다 속으로, 인마! 갇힌 건 네가 아니라 할미다, 뇌이며 실소를 짓곤 한다.

생각해 보면 요즘이 어떤 세상인가. 과학이 발달한 나머지 추상적인 개념조차도 계량이 가능하단 세상이다. 결혼의 가치를 화폐로 환산하면 연봉 만 불 어치에 해당하고, 동거는 만 오천 불에 해당한단다. 또 어느 호 사가 영혼의 무게를 달아 보았더니 21g이었단다. 방법은 임종 직전 환자의 몸무게를 달고, 그 뒤 임종 후의 몸 무게를 달아 보아서.

이처럼 영혼의 무게도 달아 수치로 환산하고, 결혼과 동거의 가치도 재화로 환산하는 세상. 보도에 의하면 한국 가정의 25%가 일인(一人) 가정(?)이란다. 가족으로 해서 상처받기도 하고, 그들로 해서 치료받기도 하며, 사랑을 익히던 세대에겐 너무 먼 나라 별나라 얘기지만, 그래서 요즘은 가전제품마저 벽걸이 미니 세탁기, 미니 밥솥, 미니 커피머신, 미니 오븐, 로봇청소기가 인기란다. 선택의 기준은 좁은 공간에서 보다 적은 비용으로 일을 처리할 수 있는 효율성이고.

하지만 궁금하다. 그런 그들이 일에서 놓여나 집에 돌아오면 기다리고 있을 작은 방은 아늑할까, 쓸쓸할까? 홀로

도시의 늑대처럼 여기저기 출몰하게 되진 않을까? 어느 한쪽으로 치닫는 삶에 주저앉고 싶진 않을까? 혼자여서 얻는 기쁨, 함께여서 얻는 기쁨, 이 둘의 무게를 달아 환산해서 제시해 줄 호사가는 정작 없을까?

애초 삶 자체가 선물이자 형벌이다. 이윤기의 『그리스 신화』에 의하면 여자는 말솜씨가 뛰어나고 마음 숨기는 법을 선물이자 형벌로 받은 판도라의 후예고, 남자는 그런 여자를 선물로 받아, 그것이 형벌인지 꿈에도 모르고 함께 사는 에피메테우스(늦게 깨닫다란 의미)의 후예란다. 성경에도 비슷한 얘기가 있다. 하나님은 인간에게 생명과 구원을 선물로 주셨지만, 인간은 원죄로 보 답하여 형벌을 자초했다고. 한데 이제 와 선물만 받고, 자의로 형벌은 돌려주겠다고? 과연 그럴 수 있을까? 인간들, 참 많이 똑똑해졌다.

하지만 시체(時體)의 영특한 할머니들과 달리 그에 못 미치는 나는 아마 자옥(子獄)을 파옥하진 못할 게다. 서울에서 만났던 일군(一群)의 할머니들도 그러하리. 이제는 선물과 형벌을 균형 있게 조절하는 지혜로 영혼을 갈무리해야 할 때에 이르렀다.

하지만 약소하게도 21g 이라는 영혼의 갈무리는 생각보다 쉽지 않다. 영혼의 작업 결과인 내 글을 어렵다고 하는 분들도 있으니 말이다. 처음엔 무척 당황했다. 글이 어렵다는 말은 미숙하단 말의 완곡어법이다. 게다 글쓰기의 목적이 내면의 목소리를 드러내 누군가와 공감대를 이뤄보고 싶은 것이었는데, 그렇다면 글 쓰는 목적을 유예해야 하나?

그러던 어느 날 홀연 깨달았다. 내 글에 여백이 없다는 걸. 빽빽하게 화폭을 다 채운 유화 같다면 어디 독자가 끼어들 여백이 있겠나. 좀 헐렁해야지.

그래서 어떤 날은 이런 생각을 한다. 만일 몸 어딘가에 지퍼가 있다면 그걸 열고 나를 꺼내 놓고 싶다고. 별주부간 꺼내 바위 위에 널어 말리듯, 나를 꺼내 놓아 준다면 좀 헐렁해져 여백이 생겨날까? 그렇다면 자옥(子獄)도 즐겁겠지. 노년삼락(老年三樂)이 별 건가. 건강지락, 교우지락, 슬하지락! 재화지락 보다야 슬하지락(膝下之樂)이 더욱 즐겁지 아니한가.

꿈으로 칠해진 벽화

한밤중, 느닷없이 눈이 떠졌다. 칠흑 같은 어둠 속에 창밖으로 하염없이 뻗어 나가고 있는, 망망대해 같은 하늘이 보였다. 기가 막혀 멍하게 그냥 바라볼 수밖에 없었다. 참 속절없는 순간이었다. 그때 뭔가 반짝 빛나는 것이 보였다. 별이었다. 검은 비로드 위에 놓인 다이아몬드같이 반짝 빛이 부서지고 있는 별. 찰나, 그 곁으로 금속 광채가 어둠의 복판을 가로지르며 빠르게 지나갔다. 비행기였다.

끙 돌아누우며 나는 속말로 중얼거렸다. 삼라만상이 잠든 이 밤에도 별 곁을 지나 어디론가 가고 있는 사람들이 있단 거지. 어젯밤 잠들기 전 가졌던 생각에 답을 주려고 별과 비행기가 내 잠을 지켜 보고 있었나 보았다.

과거 나는 학생들에게 입버릇처럼 꿈과 이상을 가져야 한다고 강조하던 순진한(?) 교사였다. 나쁘게 말하면 꿈을 팔아먹은 장사꾼, 아니 꿈을 빙자해 그들의 미래를 사기 친

사기꾼이었다. 꿈은 아름답지만 무자비합니다. 아무것도 책임져 주지 않으니까요, 라고 좌절을 느낀 과거의 어느 학생이 항변한다면 그에 대해 책임져 줄 말이 없는 나이가 되었기 때문이다. 애틋하지만 허망한 꿈.

그래서 어젯밤 잠들기 전 결심했었다. 꿈은 고만 팔아먹자. 이젠 책임 있는 인간이 돼야지. 한데 별과 비행기가 불과 몇 시간 전의 다짐을 그만 허물어 버리고 말았다. 모두 잠든 밤, 저들은 왜 야간 비행을 감행해야만 하는가?

하긴 꿈이 없었다면 인류사가 다시 쓰여야 했을 것이다. 전혜린은 『먼 곳에의 그리움』이란 수필에서 말했다.

" ~그것이 헛된 일임을 안다. 그러나 동경과 기대 없이 살 수 있는 사람이 있을까? 나는 새해가 올 때마다 기도드린다. 나에게 무슨 일이 일어나게 해달라고. 어떤 엄청난 일, 나를 압도시키는 일, 매혹하는 일, 한마디로 기적이 일어날 것을 나는 기대하고 있다. 허망한 일인 줄 알면서도. 올해도 마찬가지다. 먼 곳으로 홀홀 떠나 버리고 싶은 갈망. 나부끼는 머리를 하고. ~

먼 곳에의 그리움(fernweh). 내 영혼에 언제나 고여 있는 이 그리움의 샘을 올해는 몇 개월 아니, 몇 주일 동안만이라도 채우고 싶다.

~ 모든 플랜은 그것이 미래의 불확실한 신비에 속해 있을 때만 찬란한 것은 아닐까?

　～ 동경의 지속 속에서 나는 내 생애의 연소를 보고 그
불길이 타오르는 순간만으로 메워진 삶을 내년에도 설계
하고 싶다.

　～ 아름다운 꿈을 꿀 수 있는 특권이야말로 언제나 새
해가 우리에게 주는 유일의 선물이 아닌가 한다."

　인간의 한계 앞에서 무릎 꿇은 이 젊은 여자의 소망은
꿈이었다. 한계를 극복하는 유일한 방법이 꿈이기라도 하
듯.

　전혜린이 기억나자 또 하나의 젊은이, 아니 단발머리
소녀가 떠올랐다. 고교의 선배였던 그는 재학 중 『꿈으로
칠해진 벽화』라는 단편소설을 써서 우리를 놀라게 했다.
그 작품의 마지막 대목을 나는 지금껏 기억하고 있다.

　"꿈은 아기 손에 쥔 고무풍선 같아요. ～ 꿈으로 가는
길은 고달파요. 하지만 간다는 자체는 즐거운 고행이에요."

　요렇게 깜찍했던 선배는 지금 어디서 무얼 하고 있을
까? '～ 시위처럼 바른 지조 쏜살같이 힘차게, 겨레의 소금
되세. 우리 XX 여학교.' 6년간 부르던 학교 교가처럼 어디
선가 지조를 지키며 세상의 소금이 되어 살아가고 있을까?
즐거운 고행도 잘 수행하고 있을까? 그리고 보니 육체의
체액을 지켜 주는 물질은 소금이고, 영혼의 체액을 지켜
주는 활동은 꿈이다. 꿈이 없는 인간은 외틀어진 오이처럼

시들시들해 보인다. 생명 없는 벽화도 꿈이 칠 해져 있을 때 생동감을 준다.

그 나이에 아직도 꿈 타령이냐고 누군가 힐난한다면 할 말은 없다. 좀 한심하긴 하다. 하지만 되묻고 싶다. 이 나이에 꿈을 갖는 게 왜 안 되는 일이냐고. 꿈은 유통기한 없는 정신 활동이다. 숨을 거두는 순간도 꿈을 잊지 않는 게 인간 아닌가. 종교를 막론하고 사후 복을 포기할 자 어디 있겠나. 그러므로 이제로부터 나는 새로운 꿈을 꾸기로 하겠다. 소금으로 해서 더욱 선명하게 드러나는 꿈. 하지만 나는 매사가 아직 너무 서툴다. 모든 것으로부터 자유롭고 싶은 욕심에만 얽매일 뿐. 여기까지 생각이 이르자 잠은 그만 하늘로 올라가 별이 돼 버리고 말았다. 아뿔싸!

선한 인연

악한 끝은 있어도 선한 끝은 끝이 없단 말이 있다. 선함은 시간을 이어간다는 뜻일 게다.

1970년 새 학기 시작 전 주, 서라벌예대에 원고 받으러 간 적이 있다. 이젠 누구에게 원고를 받으러 갔는지 기억조차 나지 않으나, 그날 교무처 실내 바닥에서 문창과 시간표 프린트 주운 일은 생생히 기억난다. 훑어보니 토요일 1, 2교시 서정주 시학 강의, 3, 4교시 박목월 시학 강의였다.

학기가 시작되고 친구에게 그 시간표를 살짝 보여줬다. 친구의 눈이 빛났다. 1, 2 교시 수업에 우리도 가자. 그 친구 집은 삼선교, 우리 집은 미아리. 서라벌예대는 그때 미아리 고개 위에 있었다. 그리고 마침 우리는 토요일 수업이 없었다. 하기에 나는 학보사에 안 가도 됐다.

첫 수업, 강의실에 들어가 앉자 학생들의 의심스러운 눈초리가 우리를 재빠르게 훑었다. 하지만 신학기였기에 편입생이라 짐작했던지 아무도 우리를 내쫓지 않았다. 서정주 선생님도 맨 뒤에 앉은 우리를 한번 쓰윽 쳐다보고 그냥 수업을 시작하셨다.

그렇게 한 학기가 흘러갔다. 아무도 우리에게 말 거는 학생이 없었고, 시비 가리는 교수도 없었다. 못생긴 두 여학생에게 남학생들이 관심이 없었는지도 모른다. 여학생들은 수업 시작 직전 강의실에 들어가고, 수업 끝나자마자 사라지는 우리에게 말 붙일 기회를 얻지 못했을 수는 있다.

수업은 재미있었다. 서정주 선생님과 박목월 선생님을 비교해 보는 즐거움이었다. 두 분은 확연하게 다른 개성을 가지고 계셨다. 강의실 문 열고 들어오시는 모습부터. 서정주 선생님은 멋쟁이셔서, 단정하게 가르마를 갈라 빗어 넘긴 머리에 양복을 갖춰 입고, 영국신사의 긴 우산을 들고 들어 오셨다. 책 또한 연륜이 묻어나는 가죽 가방에서 꺼내셨다. 수업 시작하는 분위기도 조용하셨다. 파이프를 꺼내 입에 물고 창밖을 멀리 내다보시며, 나직나직한 음성으로, 아끼는 물건을 조금씩 조금씩 내주는 아버지처럼 시학을 아끼시듯 조금씩 말씀하셨다.

박목월 선생님은 짧은 스포츠의 부스스한 머리에 잠바를 입고, 책은 보자기에 싸서 갖고 다니셨다. (댁에선 방바닥에 엎드려 발장구치며 연필로 시를 쓰셨다) 강의실

문을 열고 들어오실 땐 활짝 웃고 들어오셔서, 보자기를 풀러 책을 꺼내시며 나직하나 확실하게 말씀하셨다. 공부 합시다! 조곤조곤 말씀하셨지만, 내가 아는 건 다 내어 줄게, 하시듯 강의 시간을 꽉 채우며 열강하셨다.

만용(?)은 학기 말 되던 무렵 끝났다. 우리 학교에 출강하시는 박목월 선생님께 들키고 말았던 것이다. 니들 여기 우짠 일이고? 놀라신 선생님은 다신 여기 오지 말그래이, 하셨다. 비실비실 웃으며 위기를 넘긴 우리는 정체가 탄로(?) 났다 싶어 그 후론 그 강의실 근처도 얼씬하지 않았다.

이 도강(盜講)의 추억을 랄리팝 핥아 먹듯 가끔씩 꺼내 즐기며 수십 년이 지났다. 그리고 최근에, 전화 한 통을 받았다. 미당 서정주 탄생 백 주년 기념행사를 개최할 예정인데 문협에서 행사를 주관해 줄 수 있느냐고. 선뜻 응낙하며, 옥죄었던 마음의 사슬이 부스러져 나가는 듯 싶었다.

수업료도 없는 한 학기 수업을 들었으니 감사의 인사라도 드리고 마쳤어야 했다. 한데 그조차 챙기지 못하고 말았으니 뻔뻔한 학생이 된 듯해 찜찜했었는데, 이렇게 빚 갚을 기회가 생기다니… 행사 준비하며 즐거운 마음으로 기꺼웠다.

행사를 개최한 자제분 내외로부터 살아생전 아버님께 해드린 것이 없어 (왜 해 드린 게 없으랴만) 사후 행사라도 해 드리고 싶었단 얘기를 들었을 때, 이 또한 선한 인연이

뫼비우스의 띠처럼 이어져 가는 거구나, 란 생각이 들었다. 만일 그 옛날 서정주 선생님이 출결에 까다로운 교수여서 우리를 강의실에서 내쫓았다면, 지금 이토록 기꺼운 마음으로 행사를 준비하진 못했을 게다.

60 년대 말인지 70 년대 초였는지 세계 시인대회가 서울에서 열린 적이 있다. 그때는 국제 행사가 한국에서 열린단 자체가 센세이셔널한 화제였지만, 서정주 선생님은 그 행사에 참석하지 않으셨다. 인터뷰 기사에서 말씀하시길, 외국인 참석자들이 내 시를 모르는데, 그럼 나는 그들에게 시인이 아니다, 시인이 아니면 참석할 수 없지 않으냐, 하셨다.

요즘 나는 내 작품을 모르는 사람들과 접촉할 기회가 되면 선생님의 그 말씀이 늘 떠오른다. 내 작품을 모르니 그들에게 나는 작가가 아니다. 글 쓰는 사람은 글로써 존재를 드러내야 한다는 좋은 가르침을 주신 선생님의 명복을 빌며, 마음의 빚을 갚게 해 준 선생님의 유족에게 감사드린다.

또한 『2015 년 시애틀 한국문학의 밤』에서 만났던 모든 인연이 물처럼 흘러가기 바란다.

국민 시

　이제 시간은 곧 옷을 벗을 것이다. 산봉우리 안개 풀어지듯, 밤송이 아람 벌어지듯. 그러면 속절없이 속살을 드러내게 되겠지. 대지는 거부할 수 없는 힘에 무장 해제당하듯 나신을 드러내겠지. 그때 우리는 다시 그의 맨살을 만져 보게 될 것이다.

　그땐 비발디를 들을까? 비발디는 풍성한 수확의 기쁨을 나누며 술과 춤으로 잔치를 벌이는 가을 광경을 음악으로 묘사했다. 그래서 그 음악을 음시(音詩)라고 부르는 사람도 있다.

　음시는 가을에만 있지 않다. 봄이 되면 그리그의 『아침』을, 여름이면 베토벤의 『전원 교향악』을, 가을 엔 운명의 물레를 돌리며 부르는 『솔베이지의 노래』를, 겨울이면 슈베르트의 『겨울 나그네』를 듣는다. 혹자는 위의 곡들이 음시냐고 되물을지 모른다. 그러나 내게는 음시이고, 이런 음악이 있어 위로가 된다.

그럼, 그림은 어떨까. 봄이면 보티첼리의 『비너스의
탄생』에서 차오르는 생명을 느껴 보고, 여름이면 정조
(正祖)의 『파초도』를 즐긴다. 화폭을 둘로 가르며 중앙의
밑에서 위로 솟구쳐 오르는 파초, 넓은 잎사귀에 도르르
구르는 순정한 물방울들이 보일 듯한 파초. 아마 그가
왕이기에 보이는 기상이며, 고귀한 성정이기에 느껴지는
섬세함일지도 모른다. 조금도 흐트러짐 없이 자신감 넘치
는 붓질. 유쾌 상쾌 통쾌의 결정판. 그린 이의 곧은 성품이
그대로 느껴지는 『파초도』는 여름 완상용으로 제격이다.
가을이면 들판에서 비를 홀랑 맞으며 그림 그리다 병을
얻어 저 세상으로 간 세잔의 『생트 빅트와르산』에서 충
만과 쇠락의 질감을 느끼고, 겨울이면 거침없는 붓질의
대가인 김명국의 『설중귀려도』를 들여다보고 또 본다.
은설(銀雪) 속으로 길 떠날 나귀의 시틋한 표정엔 절로
웃음이 솟구친다.

음악과 그림이 이처럼 일상을 함께 한다면 문학은 어
떨까? 요즘은 걸핏하면 국민 XX 란 명칭을 붙이는데, 문
학엔 국민 XX 를 붙일 작품이 수두룩하다.

봄이면 김소월의 『진달래꽃』을 부르며, 박목월의
『윤사월』에서 '산지기 외딴집 눈먼 처녀'를 사모했고,
오월이면 노천명의 『푸른 오월』에서 '계절의 여왕 오월'
을 우러렀으며, 김영랑의 『모란이 피기까지는』에서 '아

직 나는 나의 봄을 기두리고 있을래요.' 하며 인내를
배웠다. 초하 (初夏)가 되면 또 어떠한가. 육사의 그 그리운
구절 '내 고장 칠월은 청포도가 익어가는 계절', 『청포
도』를 읊조리며 7 월을 보냈다. 그리고 가을이 오면 한
국인에게 반백 년 회자된 서정주의 『국화 옆에서』와
더불어 '이제는 돌아와 거울 앞에 선 누님'을 그리워했다.
하여 드디어 겨울, 김광균의 『설야』. 눈 오는 밤의 소
리가 '먼 곳에서 여인의 옷 벗는 소리'로 들린다던 그 에
로틱하고 신선한 발상에 가슴 졸이며 청춘을 완성했다.

이제 가을의 발 소리가 사풋사풋 들려온다. 도르르 구
르는 낙엽들. 그러기에 가을은 낙엽을 태우면 갓 볶은 커피
냄새가 난다던 이효석의 가을이다. 한국인 누구나 고교 시
절만 거치면 그로 해서 커피에 대한 향수를 갖게 됐다.
한데 그는 낙엽은 꿈의 시체라고 했다. 그리고 가을이 되면
더욱 생활인이 된다고도 했다. 삶에 활기가 돈다는 말일
게다. 왜 그는 가을에 활기를 느꼈을까? 침잠하는 우주
속에서 활기를 느낀다니 그도 참 독특한 사람이다. 어쨌
거나 한국인은 『낙엽을 태우며』와 더불어 서양 풍습의
생활 양식을 동경하며 성인이 됐다.

그리하여 그 문구들은 생활 숙어가 됐다. 한국인 누구
에게나 5 월은 계절의 여왕이며, 7 월은 내 고장 칠월은
청포도가 익어가는 계절이고, 가을의 낙엽은 커피 볶는 냄

새가 나는 것이다. 일종의 진부한 습관어다. 단물 다 빠진 껌같이. 문학으로서의 사명을 다 한 셈인가. 하니 이젠 생활 숙어도 세대교체가 필요하다.

그러나 대체할 만한 것들이 있던가? 최영미의 『서른 잔치는 끝났더라』? 도종환의 『접시꽃 당신』? 뭐니뭐니 해도 가장 입에 익은 말은 『홀로서기』일 것이다. 이 말은 80년대 여성 잡지사 기자들이 만들어 낸 조어(?)인데, 결정적으로 쐐기 박은 사람은 서정윤이다. 문학적 성취와 상관없이 이 말은 곧 인기어가 돼, 그의 시집 『홀로서기』는 낙양의 지가를 올렸다. 이 말이 그의 시에서 관습어로 확정됐다는 걸 모르는 사람들도 즐겨 이 말을 사용한다.

하지만 이 정도로는 약하다. 좀 더 풍부하게 생활 감정을 담아낼 문학어가 필요하다. 앞으로 누가 있어 한국인의 정서를 풍부하게 해 줄까? 어떤 시가 있어 국민 시(國民詩)에 등극하게 될까? '가을엔 편지를 하겠어요.' 이 정도 가지곤 턱도 없다. 글 쓰는 사람들의 책임이 참으로 막대하다.

산골 나그네

산골 나그네

슈베르트의 피아노 소나타 21 번을 듣자면, 왠지 김유정의 『산골 나그네』가 떠오른다.

산골의 가을은 왜 이리 고적할까! 앞뒤 울타리에서 부수수 하고 떨잎은 진다. 바로 그것이 귀밑에서 들리는 듯 나직나직 속삭인다. 더욱 몹쓸 건 물소리, 골을 휘돌아 맑은 샘은 흘러내리고 야릇하게도 음률을 읊는다. 퐁! 퐁! 퐁! 쪼록 퐁!

소나타의 첫 마디 따안 따안 따다다다안~, 이게 소설 속의 퐁! 퐁! 퐁! 쪼록 퐁! 을 연상케 해 그런가? 서양의 고전 음악 작품과 한국, 그것도 누추한 인생들이 등장하는 소설의 느낌이 같은 이유는 뭘까?

우선 소나타의 첫 소절이 인상 깊은 탓일지도 모른다. 한 번 들으면 잊히지 않는 베토벤의 『운명』, 라흐마니노

프의 피아노 협주곡 2번, 바흐의 브란덴부르크 협주곡처럼 인상적인 첫 소절. 심장을 손가락으로 짚어 누르듯 한 음 한 음 울리는 그 음(音)들은 가슴 속의 낙엽을 남김없이 떨어낸다.

문학 작품에서도 첫 문장이 인상 깊으면 그 작품은 절대 잊히지 않는다. 대학 입학시험 전날, 홀랑 밤새워 읽는 바람에 비몽사몽 간(間) 가느라, 고사장에 지각할 뻔하게 한 강신재의 『젊은 느티나무』, '그에게서는 언제나 비누 냄새가 난다.'처럼. 만일 이 작품의 시작이 '그에겐 언제든지 비누 냄새가 난다.'였으면 그 울림은 그리 오래가지 못했으리. '그에게서는' 다섯 박자와 '그에겐' 세 박자의 차이. 만일 김유정이 '더욱 몹쓸 건 물소리' 하고 명사절로 끝지 않고, '더욱 몹쓸 건 물소리다.'라고 서술 문으로 풀었다면 박자가 맞지 않아, 슈베르트 피아노 소나타 21번과 같은 느낌은 덜 했을지 모른다.

그럼 첫 소절 때문이라면, 곡이 연주되는 47분 남짓한 시간 내내 같은 생각을 하게 하는 이유는 또 뭘까? 우선 두 작품 다 애절한 느낌에 가슴이 서걱 베어진다. 혹자는 슈베르트의 소나타가 싱겁다 한다. 흐릿한 인상에 선율만 붕 떠 부유하는 느낌이라고. 나도 이 의견에 찬성하긴 한다. 그러나 그가 세상 떠나기 두 달 전 작곡한 이 작품엔

확실히 다른 뭔가가 있다. 특히 김유정의 소설에 얹어 들으면.

나중에 알게 됐지만, 이 곡은 그의 대표 연가곡 『겨울 나그네』의 연장선에 있는 작품이란다. 버림받은 방랑자의 정처 없는 발길을 그린 음악이라니 영락없는 산골 나그네 아닌가. 방랑자와 나그네? 내 느낌이 괜한 게 아니었다. 다시 길에 나섰지만 갈 곳 없는 방랑자의 슬픔. 『산골 나그네』에도 만만치 않은 애절함이 흐른다. 이 소설엔 아예 주인공 이름이 없다. 작가는 주인공에게 이름조차 부여하지 않았다. 주인공이 하층민인 것을 철저하게 드러내는 장치였을 게다. 하찮은 존재, 사물의 일부 (그녀의 수동적 삶의 태도로 보아), 자연의 일부에 불과한 존재. 그러나 이 작품이 아름다운 건 주인공이 보여주는 인간 속에 들어 있는 본성, 맑고 소중한 정신이다. 은비녀를 두고 떠난 그녀의 행위에서 짚이는, 인간으로서 차마 하지 못할 일을 삼가고 제 분수를 지켜내는, 사물이나 동물이 아닌, 인간으로서의 도덕심. 부정의 부정은 긍정이라 하듯, 그녀의 배신은 더 귀한 신의(?)를 지키기 위한 배신이었다. 그러기에 그녀에게선 수정처럼 맑은 인간 본연의 품성조차 느껴진다. 하위층의 수정처럼 맑은 심성과 있는 자의 탐욕스러움을 미술 색상 대비법처럼 선명하게 부각시킨 셈이라고나 할까. 김유정은 떠도는 거지 여자를 통해 인간의 아름다운 본성을 꺼내 보여 줬다. 인물 대비 작법에 성공한 셈이다. 그러기에 맑고 고적한 느낌이 선명해서 더욱 애절하다.

이 두 작가는 일생에서도 비슷한 애절함을 남겼다. 31세에 요절한 슈베르트와 29세에 요절한 김유정. 천여 곡의 작품을 남기고도 베토벤을 능가하고 싶어 몸살을 앓았던 슈베르트. 베토벤의 관을 들고 장지로 가며 제 2의 베토벤을 꿈꾸던 그는 그러나 그다음 해에 자신이 죽을 줄 몰랐을 거다. 누가복음 읽기를 좋아했다는 이상이 함께 자살하자고 꼬드겼을(?) 때, 거절했던 김유정 또한 자신이 이상보다 한 달 먼저 가리라 예측 못 했을 게다. 그는 닭 20뭇쯤 삶아 먹으면 자신의 건강이 회복되리라 믿었다. 두 천재의 이런 공통점은 후세인들의 가슴을 애타게 한다.

가난 속에 사랑마저 잃어 고독한 나그네였던 두 천재. 그러나 슈베르트는 지금 비엔나 거리, 공원, 기념관, 식당 이름이 되어 누군가에게 부(?)를 안겨 주고 있다. 김유정 또한 돈이 없어 제대로 치료도 못 받고 죽었지만, 지금은 고향 실레 마을에 기념관이 들어서, 지역 사회의 경제 화수분(?) 노릇을 하고 있다. 이 또한 슬프지 아니한가.

가을이 깊어 가고 있다. 고적해질 때면 김유정의 『산골 나그네』를 다시 손에 들고, 슈베르트의 피아노

소나타 21번이나 들으며, 수정처럼 맑게 마음 밑절미나
닦아야겠다.

복잡한 계산

첫 근무지에서 첫 월급을 못 받은 일이 있다. 지금도 그러나 모르겠는데 그때 공무원은 신원조회 후 임용됐다. 내 발령은 사대 졸업 예정자들을 서울시 임용 예정자로 내정해 미리 근무하게 한 데서 비롯됐다. 하니까 시경 담당의 사인이 있어야만 임용 완료가 돼 월급을 받을 수 있었다. 한데 함께 발령받은 동료 7명은 첫 달 월급을 받았다.

사회 초년병으로 겪는 불이익에 상처가 컸다. 어느 날, 보다 못한 선배 교사가 충고했다. 경찰 담당자에게 삼천 원 봉투를 갖다 주면, 첫 달 월급이 소급해 지급된다고. 화들짝 놀라는 내게 그는 공무원 임용이 다 그리 이루어진다며, 첫 월급을 포기할 건지, 삼천 원을 아낄 건지 선택하라고 웃었다. 월급은 오만 원, 봉투는 삼천 원. 난 무식(?)하게도 오만 원 잃는 게임을 선택했다. 정당하지 않은 것은 수용할 수 없음. 담당자의 월급은 보잘것없으나, 그는 매우 비싼 집에 산다고 했다.

그러나 일은 게서 끝나지 않았다. 항상 싸늘하게 쏘아 보는 교장으로 고민하자, 이번엔 또 다른 선배 교사가 조언했다. 우리 교장은 여자여서 목통이 크지 않아. 다른 학교는 봉투지만, 여긴 펭귄표 통조림 한 상자면 되니, 집으로 찾아가 봐. 상사에게 그런 인사 차려야 한단 사실을 까맣게 몰랐던 나는 그저 아연했다. 왜? 왜 그래야 하는데요? 남의 집 방문할 때 빈손으로 가지 마라. 그간 배운 예절 교육은 그게 다였다. 관계를 마음으로 신실히 맺어야지, 봉투로 맺으라고 배운 적이 없다.

아무튼 직장 생활은 고달팠다. 신규 교사로 딱 한 번 치르는 연구 수업을 세 번째 학교에서도 했다. 그들이 원하는 건 물질이었을까, 인간관계였을까? 찾아간 직원에게 봉투를 두고 가라고 턱으로 가리켰다는 소문도 돌았다. 그게 소위 관계 맺기이며, 소통의 방법일까.

한데 점입가경이었다. 퇴직 신청하고 한 달 지났으나 퇴직금 수령 통보가 오지 않았다. 답답해서 역시 공무원이었던 육법전서, 작은 오빠에게 하소연했더니 왈, 공무원이 공무원 하는 일을 못 믿으면 누가 믿겠냐, 기다려 봐, 했다. 그 말에, 내가 조급병이 들었구나, 부끄러워 얼굴이 붉어졌다.

하나 시간은 그냥 지나갔다. 뉴욕으로 출발해야 할 날이 일주일 앞으로 다가왔다. 하는 수 없이 연금공단으로 직접 찾아갔다. 한데 담당자 말이 뜻밖이었다. 교육청 서류가 아직 넘어오지 않았단다. 그러며 그는 날 딱하다는 듯 쳐다봤다. 근무지 교육청에 가 보세요. 담당자에게 책상 밑으로 슬쩍 봉투를 넣어 주면 그 자리에서 서류를 내줄 겁니다. 아마 기다리고 있나 봅니다. 앞통수 한 대 딱 얻어맞은 기분이었다. 그렇게 시작하더니, 결국 이렇게 끝나는구나! 교육청 담당자는 직접 찾아온 퇴직자에게 서류 봉투를 내던졌다. 정말 재수 없어, 하는 얼굴로.

시작과 끝이 봉투였다면, 그간 13 년 또한, 봉투와의 전쟁이었다. 막무가내 두고 가는 분들과의 투쟁. 왜 그들은 그래야만 했을까. 그게 관계를 돈독하게 하는 비결이라 여겼을까. 그게 그런 미덕의 물질이었다면 왜 난 그걸 그리 거부해야만 했을까.

오염(?)되지 않으려 안간힘 했던 13 년간, 그러나 오아시스 같은 시간도 있었다. 네 번째 학교, 거기서 난 여교사회 회장으로 상사 댁에 무시로 드나들었다. 봉투보다 더한 물건들도 들고. 그 상사는 교사들을 실력으로 인격으로 인정해 줬다. 학교 분위기는 신뢰로 화기가 넘쳤다. 경계와 질시의 눈초리가 없던 직장. 후배 교사들은 날 기개(?) 있는 선배로 좋아했다. 거길 떠날 땐 심지어 남자 교사들조차 서운해했다. 왜 가세요? 좀 더 계시잖고. 여기만큼 화기애애한 곳도 없잖아요. 그때도 봉투로 해서 은따

당하는 동료들이 있긴 했다. 그럴 때면 난 후배들에게 넌짓 말했다. 그건 그 사람의 선택이니 존중합시다. 판단은 우리가 하는 게 아니지.

보통 촌지(寸志), 하면 모든 사람이 불쾌한 반응을 보인다. 냄새나서 치우고 싶지만, 하는 수 없이 엉거주춤 들고 있는 똥 막대기 같은 것. 요즘도 그에 관한 한 별반 달라진 게 없다. 직위 남용이면 비난의 대상에 올라 도덕성에 치명타를 입는 여기서, 20 불 이상 받으면 당국에 신고해야 하는 여기서, 선생에게 고가의 선물을 해야 맘이 놓인단 한인 학부형들. 젊은 학부형에게 이런 고백을 들었을 때, 잃어버린 첫 월급이 떠올랐다.

관계 맺기에 뭔가를 더 얹어야만 맘이 놓인다며 복잡하게 계산하는 사람들은 여전하구나. 더 갖고 싶고, 더 인정받고 싶어서. 눈이 더욱 밝아진 오늘날의 유혹, 복잡한 계산, 단순한 계산. 이의 선택은 본인의 의지다. 쎄라비!

종이 신문

초등학교 시절, 새 학년이 되면 가정환경 조사서라는 걸 제출했다. 동산 부동산이란 낱말도 거기서 배웠다. 부모의 직업 학력 재산 정도를 상세히 적어야 하는 그 조사서는 늘 난감한 종이었다. 하지만 자신 있게 동그라미 칠 수 있는 항목도 있었다. 문화생활 조사 중 책상 소유, 신문 구독에 동그라미를 그려 넣을 땐 열등감이 상쇄되는 듯싶어 으쓱한 기분이 됐다. 동네에서 제 책상에서 공부하며 신문 구독도 하는 집은 우리 집뿐이었으니까.

술래잡기하며 들고 간 신문을 읽을 때, 친구들이 등 뒤에서 수군댔다. 쟨 신문도 읽어. 그 시절 읽고(?) 있던 건 만화 〈고바우 영감〉이었다. 만화가 끝나면 박영준의 연재소설도 더듬더듬 읽었다. 말하자면 어른의 세계에 일찍 입문한 셈이었다. 얼마나 읽기에 빠졌느냐 하면, 시장에서 생선 싸 준 신문 쪼가리도 냄새를 참고 읽었다.

백과사전 읽기만큼 재미있었던 신문. 그러기에 60, 70 년대를 건너오며 한때 신문기자 직을 동경한 적도 있다. 지금도 그렇지만 그 시절엔 더욱더 언론은 제 4 의 권력 기관이었다. 1, 2, 3 의 권력 기관 사람들도 신문기자의 밥을 얻어먹어 본 사람은 없다고 한다. 무소불위 무관의 제왕. 신문사 깃발 달린 차 한번 얻어 타면 기분이 그리 좋을 수 없었다.

한데 상전벽해라고, 세월이 흘러 사회 변혁(?)이 일어 났다. 요즘은 매체가 다양해져 자기 블로그 가진 사람이면 너도나도 기자고, 신문기자는 앞으로 없어질 직종 중 상위 라고도 한다. 보도론 13% 감소할 것이라 한다. 신문의 재 료 또한 일대 변혁이 일어나 종이가 아닌 사이버 공간이 됐다. 사양(斜陽)도 이런 사양이 없다. 그럼 정말 종이 신 문이 없어지게 될까?

추측건대 종이 신문은 없어지지 않을 것이다. 손바닥 크기의 휴대전화로 들여다보는 갑갑한 지면(誌面)과 전지 (全紙)를 펼쳐 들고 읽는 지면의 가독감(可讀感)은 비교가 안 된다. 활짝 펼쳐 들면 그날 뉴스가 한눈에 일별 되는 종이 신문의 속 시원한 느낌을 무엇과 바꾸랴.

본디 종이 신문의 속성이 성녀와 창녀다. 여명이 밝아 올 무렵 가슴 두근거리며 담 너머로 신문 떨어지는 소리를 기다리지만, 다 읽고 난 오전 열 시경이 되면 그것은 쓰레

기로 둔갑했다. 그리하여 예전엔 습자 시간에 연습지로
그만한 게 없었고, 화장지가 없던 시절엔 뒷간에서도 절대
유용했다. 흠이 있다면 인쇄 잉크가 묻는 것이지만. 흠흠!
시장에서도 신문지가 없으면 장사를 할 수 없었다. 물
떨어지는 생선을 척척 잘라 싸주던 아주머니의 손길은 영
원한 추억이다.

　또한, 만일 옷장을 정리하는데, 소포를 포장하는데
신문지가 없다면? 거기에 종이 신문은 절대 필요 요건이다.
나프탈렌 대신, 뽁뽁이 대신. 그리고 그로부터 몇 년 지난
후 그것들을 다시 펼쳐 보았을 때 거기 함께 들어 있던
구겨진 신문지를 펴 보라. 흘러간 시간의 날짜가 거기 있고,
시간의 묵은 냄새까지 느껴 볼 수 있다. 나프탈렌 대신
느껴지는 묵은 시간의 새삼스러운 냄새.

　게다 기름기를 잘 흡수하는 신문지는 청소 용구로도
유용하다. 기름기 낀 프라이팬을 신문지로 먼저 닦아낸 후
비누로 씻으면 (밀가루로 씻어내는 분도 있다 한다) 환경
보호 차원에서 말끔하게 설거지가 끝난다. 튀김 요리할
때도 필요하다. 바닥에 아낌없이 신문지를 쫙 깔고 맘 놓고
튀김 요리하는 즐거움이란… 또 먼지 쌓인 현관을 청소할
때 신문지를 적당히 찢어 늘어놓고 그 위에 물을 뿌린 후
비로 쓸어내면 청소 끝. 중고교 시절 유리창 청소 담당

이었을 때 신문지 갖고 있던 아이들은 부러움의 대상 이었다.

냉장고에 채소 보관할 때도, 철 지난 신발을 보관할 때도 종이 신문은 절대 필요하다. 발 냄새를 흡수하고 신발 모양을 바로잡아준다. 벽지를 바를 때 초벌로 신문지를 붙이는 집도 있다. 그야말로 종이 신문의 송덕(頌德)은 끝이 없다.

한데 최근에 종이 신문의 쓰임에 대해 귀한 발견을 하나 더 하게 됐다. 유명 식당에 가서 피시 앤드 칩스를 주문했을 때, 기름 많은 그 음식에 깔려 나온 건 뉴욕 타 임스를 자른 종이 신문이었다. 그 쓰임새에 눈에서 비늘이 벗겨지는 느낌이 들었다.

만일 어느 변덕쟁이 유명 디자이너가 신문을 포장지로 사용한다면, 연말 선물 포장지는 몽땅 종이 신문이 되지 않을까. 정육점의 고기 싸는 포장지도, 그로서리 브라운 백도 센스 있는 포장지로 각광 받는 세상에 그건 무리한 상상이 아니다.

오늘도 나는 인간과 더불어 지낸 200 년 남짓, 필요불가결의 존재가 된 종이 신문의 덕을 송축(?)한다.

수군수군 살기

해가 바뀌었다. 청마의 기운을 빌어 힘차게 살아 보자고 덕담 나눈 게 엊그제련만. 청마, 하면 꼭 떠오르는 분, 유치환. 맑고 곧은 이념(理念)의 푯대 끝에 영원한 노스탤지어의 손수건을 나부끼던 분. 그래서 청마 선생은 지난 한 해 지하에서 무척 시끄러워하셨으리라. 하면 올해 이분처럼 시달릴 분은 또 누굴까? 올해는 양이란다.

羊. 상형문자 羊은 상서로움(祥), 착함(善), 등에 이어 기름(養), 의로움(義), 아름다움(美)으로 계속된다. 美? 큰 大+양羊? 내가 보기엔 大는 큰 진리고 (그 핵심은 복음이다), 羊은 '세상 죄를 지고 가는 하나님의 어린 양'이다. 그러므로 美가 큰 진리로 오신 그분을 상형화한 문자라 한다면 팔이 지나치게 안으로 굽은 걸까? 희생만큼 아름다운 게 어디 있으랴. 희생양 예수님. 아름다운 예수님. 하니 양의 해에 제일 많이 시달릴 분은 틀림없이 예수님이 되시겠다.

　그래서 말발굽 아래 2014 년이 사라지자마자, 양을 따르려고 가부좌를 틀고 앉아 봤다. 십자가를 지고 날 따르라 하셨으니 우선 그걸 흉내라도 내고 봐야겠지. 십자가는 과거의 날 깨고 져야 하는 것. 날 깨기 위해선 말씀에 들어야 한다. 로마서 1 장으로 들어가 본다. 거기 나열된 인간의 죄들이 겁나서 읽다가 책을 덮어 버린 적이 있다. 하나도 걸리지 않는 게 없을 만큼 적나라하게 나열된 죄목들. 그중 가장 오금 저리게 하는 죄목은 '수군수군하는 자요'다. 아무리 다른 죄목에 난 죄 없다고 뻗댄다 해도 이 대목에 와선 무릎 꿇을 수밖에 없다.

　요즘 신조어 중에 '지적질'이 있다. 지적하다에 습관을 나타내는 명사형 어미 — 질을 붙여, 누군가 잘못했거나 실수했을 때 자주 지적하는 습관을 빈정대는 유행어다. 나는 학생 시절에 이미 이 지적질의 반열(?)에 들었다. 다른 건 다 참아도 수업 시간에 잘못된 설명을 듣는 것만큼은 참을 수가 없어서. 오도(誤導)를 알면서 그냥 넘어가라고? 수업 준비 덜해 온 교수가 얼렁뚱땅 넘어가는 게 정말 싫었던 나는 뾰족한 목소리로 오류를 지적하곤 했다. 교수나 목사만큼 파급력 높은 직업도 없다. 이들이 대중을 한번 오도하면 그 교정(矯正)에는 수십 년이 걸릴 수도 있다. 이에 못지않게 파급력 높은 분야는 매스 미디어다. 그들의 무심한 실수가 불특정 다수에게 각인돼 그게 대중의 신념(?)

으로 뿌리내린다면, 이건 오도 정도로 끝날 일이 아니게 된다.

한데 유감스럽게도 이런 일은 비일비재하다. 그리고 교수와 학생 사이의 지적질은 애교 선에서 끝날 수도 있지만, 매스미디어는 나름 완강한 방어 자세를 취하기도 하기에 지적질이 별무효과다. 외려 지적질한 쪽과 당한 쪽의 사이만 뻘쭘하게 될 뿐. 게다 그쪽에서 요즘 말로 해서 소위 '갑질'로 나오게 될 경우, 도리어 이쪽이 수세로 몰리게 된다. 비유컨대 이수(泥水)에 맑은 물 한 컵 붓기가 돼 버리고 만다. 이때 바로 '수군수군하는 자요'의 죄를 저지를 수밖에 없게 된다.

이 '수군수군'은 산양 뿔만큼 힘이 세다. 그래서 멀쩡하던 가정을 깨 놓기도 한다. 교회에 모여 중보 기도한답시고, 남의 집 가정사를 다 까발려 여기저기 퍼 나르며 수군댄 결과 가정이 두 쪽 났다. 그랬음에도 이게 죄인지 모르고 그들을 도왔다고 굳게 믿으니 이 딱함을 어찌하랴. 또 목적이 배제된, 인간적인 친밀함으로 모이는 공동체는 반드시 갈등, 분열, 파당을 만들어낸다고 어디선가 읽었다. 이런 경우 뒷담화, 즉 '수군수군'이 빠질 수 없게 된다. 여기엔 꼭 희생양이 필요하다. 그래서 죄가 죄인지도 모르고 자기 신념과 결정이 옳다고 믿는 인간을 구속 (救贖)하기 위해, 이천 년 전 말씀이 육신 되어 오신 분은 십자가를 지고 그 죄를 죽였다.

그럼에도 죄는 아직도 프로메테우스의 간처럼 매 순간 생생하게 다시 솟아나 교만을 부추긴다. 그러므로 너보단 내가 낫다는, 경쟁에서 우위를 차지해야겠다는 욕망이 남아 있는 한 인간은 평강으로부터 자유롭지 못하다. 행복하기 위해 산다며 그로부터 자유롭지 못하고, 사랑하기 위해 산다며 그로부터 자유롭지 못하다. 수시로 어깨가 처지고 고단한 이유가 어디 있는가. 삶을 부여잡고 고개 숙여 울며, 하소연이라도 하고 싶은 심사는 어디에서 오는가.

이처럼 지상에 삶을 한 자락 펴고 사는 한, 교만과 나약함을 본성으로 하는 인간은 너도나도 도저히 이 수군수군의 죄를 끊을 도리가 없다. 그러니 이젠 수군수군하더라도 법도, 아니 시쳇말로 메뉴얼이라도 만들어야 하지 않을까. 당장 발끈하지 말 것. 지적도 유머러스하게, 마무리는 훈훈하게 할 것. 이 정도면 될까? 욕망을 자제하고, 균형 잡힌 시각으로 매사를 판단하면 선(善)에 가까워지게 될까? 아무튼 구속해 주신 분이 계시니 얼마나 다행인가. 그러니 살아볼 만하지 않은가. 올 한해도 계속 羊을 성가시게 하며, 羊에게 읍소하며 살게 될 것만 같다.

이쪽 저쪽

　여행길에 본 고국의 친지들은 충분한 문화생활을 누리
는 듯 보였다. 농담 삼아 우리더러 낙후된 환경에 살고 있
다고 웃어 줬으니까. 그래서 나도 모처럼 문화생활을 즐겨
볼 양 길을 나서 봤다. 문화생활이라야 내가 관심 있는 곳
은 연극이나 그림이니 우선 미술관을 검색했다. 한데 웬 미
술관이 이리 많담. 뉴욕에서 메트로폴리탄과 구겐하임, 모
마밖에 모르고, 시애틀에서 샘밖에 모르는 촌뜨기인 내게
열 손가락을 더 꼽게 하는 숫자는 좀 감당이 안 됐다. 심
지어 미술관 순례 버스 출발지가 네 군데나 됐다. 언제
이렇게 미술관 숫자가 늘었담. 내가 아는 건 경복궁과 덕수
궁 안에 있던 미술관밖엔 없었는데. 상전벽해라도 좋다.
문화가 발전됐다는데야 쌍수로 환영이지.

　마침 한미 수교 몇 년이라며 용산 국립중앙미술관에서
기획 전시회를 하고 있었다. 교통편도 편리해 전철이 미술
관 통로로 곧장 연결됐다. 요즘 말로 접근성이 좋았다. 동

생과 도착했을 때 『미국 미술 300 년』 사인이 크게 눈에 띄었다. 널찍한 전시 공간에 드문드문 서서 감상하는 사람들. 감회가 새로웠다. 작품에 손대지 마시오. 쪽지를 따라, 줄 서서 학생 수 파악하느라 그림을 보는 건지, 학생들 머리통 감상하는 건지 구별이 안 되게 다녔던 전시회에 비해, 이건 완전 문화생활(?) 그 자체였다.

게다 미국 미술이라니, 관심 있는 에드워드 하퍼 작품 『밤을 지새우는 사람들(nighthawks)』을 만날지도 모르겠단 기대로 마음이 부풀었다. 전시회는 기획전인 만큼 미술 전반의 작품들, 즉 회화, 공예품, 나아가 가구까지 다양한 작품을 6 개의 방에 나눠 일목요연하게 전시하여 18 세기부터 20 세기까지, 300 년 흐름을 한눈에 보여줬다. 로스앤젤레스 카운티 미술관, 휴스턴 미술관, 필라델피아 미술관, 테라 미국 미술 재단 등에서 대여되어 온 168 점의 작품들은 유럽인의 미주 이주 시작 시절부터 시대와 지역의 특색을 소개하여, 미국 역사의 주요 흐름을 관통하며, 각 시대의 미적 특징을 보여주고 있었다. 화가, 장인, 디자이너들의 숨결이 느껴지는 듯했다.

우리는 기획된 동선을 따라 작품 하나하나를 감상해 나갔다. 그러다 보니 우연히 한 무리의 사람들과 섞이게 되었다. 그들은 어느 미술 클래스의 성인 학생들인 듯 싶었다.

강사로 짐작되는, 설명하는 사람을 동반한 그들은 노트를 꺼내 받아 적기도 했다. 진지한 그 모습이 보기 좋았다.

동선이 같다 보니까 그들과 자연 어깨도 부딪치게 되고 설명하는 내용도 귀동냥하게 되었다. 그렇게 해서 방 하나인가를 돌고 난 뒤였다. 그 일행 중 실무자로 보이는 여자가 우리에게 다가왔다. 그녀는 우리에게 따라다니지 말 것을 요구했다. 그 일행은 설명하는 사람에게 수고비를 지급했기에 우리가 귀동냥하게 되면 그들에게 실례가 된다는 점을 내세웠다.

남에게 폐가 된다는데야. 우리는 그 무리에서 즉각 물러났다. 무전취식하는 걸귀 취급에 무안도 했다. 게다 그 뒤 작품을 감상하려니, 그들의 숫자가 오히려 우리에게 방해되어 작품 감상도 제대로 되지 않았다. 돈 낸 사람만 들을 수 있다면 일반 관람객이 없는 시간을 따로 정해서 관람을 해야지, 일반 관람객과 섞이게 되면 오히려 저 사람들이 일반 관람객에게 방해되는 거 아냐. 동생이 이건 경우가 아니라고 불만을 토했다. 거기에 맞장구(火)치게 되면 일어날 것은 화(禍)밖에 더 있으랴. 불난 집에 부채질이지. 대충 감상을 마무리하고, 대신 도록 사는 것으로 그날 일을 끝냈다.

하지만 두고두고 그 일이 찜찜하다. 메트로폴리탄 박물관에 가서 그런 무리 뒤에 섞여 보자. 아무도 뭐라 안 한다. 어깨 부딪으면 윙크를 하던가, 익스큐즈미를 연발하든가 할 뿐. 문화생활만 있지, 감상 문화는 낙후는커녕 아예 실종됐네. 이 일이 떠오를 때마다 혼자 꿍얼거리게 됐다.

한국 방문을 마친 미주 한인들이 입버릇처럼 하는 말이 있다. 하수도 설비가 제대로 안 돼 도시에선 냄새가 나고, 길엔 개똥이 굴러다니니, 오히려 그쪽이 더 낙후 되었다고. 그렇게 편 갈라 말할 때마다 나는 속이 편치 않았다. 이쪽저쪽 다 내 조국인데, 구태여 비교해 가며 이쪽 저쪽 가를 건 뭔가 해서였다. 하지만 이젠 많이 가졌음에도 불구하고, 아직도 가진 것을 나누지 못하는 옹졸한 사람들이라면, 나도 편들 마음이 없어지려 한다. 그날 만나지 못했던 하퍼의 그림만큼이나 마음이 공허하다.

환상을 즐기다

그 애는 늘 주택 설계도를 그렸다. 먼저 네모를 그려, 안방 건넌방을 양쪽에 넣고, 그 가운데 분합 달린 마루를 두고, 안방에 부엌을 내달았다. 뒷간은 어디에 둘까, 목욕탕도 있어야 하고, 우물도 중요해. 우물엔 지붕을 얹고, 기둥엔 새집도 달아야지. 집은 남향판으로 앉혀, 해가 많이 들게 하자. 마당에 심은 해바라기가 키를 키워 실컷 해바라기를 하도록.

중 1 가정(家政) 시간에 주거 환경을 배우면서부터 생긴 버릇이었다. 자신이 사는 집과 전혀 다른 일반 주택들이 그 애는 부러웠다. 전후(戰後) 공간의 시장을 낀, 연못가에 지은 그 애 집은 필요로 방을 내달다 보니, 애당초 설계와는 거리가 먼, 방이 아홉이나 되는 집이었다. 그랬기에 미로처럼 복잡해, 집으로서의 아늑한 느낌이 전혀 없었다. 그 애가 늘 웅크린 자세로 산 건 어쩌면 그 집 탓인지도 모른다.

하지만 이웃은 그 애네를 부러워했다. 공동 펌프를 쓰는 시장에서 뒷마당에 펌프가 따로 있었고, 공동 화장실을 써야 하는 동네에서 뒷간이 그것도 둘이나 됐으니까. 그렇게 세상과 구별된, 구조가 이상한 그 집은 집 지은 재료도 이상했다. 지붕이 기와도 초가도 아닌 타마구 지붕이었다. 콜타르를 칠한 지붕을 볼 때마다 그 애는 세상과 동떨어진, 다른 곳에 사는 기분이었다. 이사 오기 전 살던, 사과나무 배나무와 우물이 있던 기와집. 그 애는 그 집이 그리워, 그 비슷한 집을 늘 도면에 그려 넣으며, 상상으로나마 아쉬움을 달랬다.

그 애가 부러워하던 집은 돈암동에서 미아리 고개로 넘어가는 길 오른쪽에 보이는 붉은 벽돌 이 층 양옥 집이었다. 왕십리에서 시작되는 하굣길, 만원 버스에 지친 나머지 무릎이 저릴 만큼 힘들 때면 보이던 그 집은 담쟁이에 담쑥 싸 안겨 위로의 눈짓을 보내곤 했다. 저 집엔 누가 살까? 어떤 사람들이 살까? 어떤 구조의 집일까? 소설가 김내성 집이 이 근처라던데, 혹시 저 집 아닐까? 그 애의 첫 책 읽기가 그의 『사상의 장미』였던 만큼 그 앤 김내성에 대해서도 관심이 많았다. 그래서 한번 찾아가 보는 공상도 했다.

그러나 용기를 내진 못했다. 그런 쑥 같은 짓을 어찌. 그러며 고교에 진학했다. 설계도 그리는 버릇은 여전했다.

공책 뒷장, 여백 있는 아무 종이에나 그렸다. 가끔 한숨도
쉬었다. 그러며 그 애는 소설도 썼다. 글쓰기는 위로가 됐
다. 형제들은 서로 사랑하면서도 그 사랑을 나누는 방법을
몰랐다. 배려에 대해서도 몰랐다. 그런 이상한 관계로 시간
이 지나 그 집을 떠나게 됐다.

  아버지 병환으로 기운 가세에 셋집으로 가게 됐다. 그
몇 군데 셋집을 전전한 뒤 다시 시장으로 돌아왔다. 건강이
회복된 아버지는 거기에 새집을 지으셨다. 여전히 설계도
없이. 그러나 그 애는 설계도 없는 집을 짓는 아버지를
아쉽지만 관대하게 봐 드릴 만큼 성장했다. 대신 그 앤
주위의 기대를 한몸에 받으며 열심히 소설을 썼다. 소설
쓰기는 설계도 그리기 대신이었다.

  그러나 주택 설계도를 그리기에서 끝났던 것처럼 그
애의 소설 쓰기도 그렇게 끝났다. 인생의 단계는 그렇게
진행되어 가고 있었다. 꼭 한 번 정상적인 주택에 거처를
정할 뻔한 일은 있었다. 결혼 전, 남편은 결혼을 위해 집을
지어 두었다 했다. 집 기초를 닦을 때 쇠를 갈아 묻고, 실
내에 붙인 타일 윤을 내기 위해 돼지기름으로 닦아,
단단하게 지은 집이라고 했다. 75 평의 아이 놀이터도
있었다. 하지만 그 집은 병환 중이던 시어머니가 반대하셔
이사할 수 없었다. 정상적인 주택은 여전히 그저 바라만
봐야 하는 남의 집이었다.

　태평양을 건너와서도 마찬가지였다. 그로부터 오랜 시간이 지난 이제, 겨우 집을 마련했지만 어린 시절 꿈에 젖어 그려 넣던 설계도의 집은 아니다. 그리고 이제 시간은 가을이다. 릴케가 말하지 않았던가. 지금 집이 없는 사람은 앞으로도 집을 짓지 못할 것입니다, 라고. 소설 쓰기를 그만둔 그는 그랬기에 요즘 머릿속에서 다시 설계도를 그린다. 이유는 햇살 바른 창턱에 기대앉아 책 읽기를 하고 싶어서다. 달팽이에게도 집을 주시니, 평생 환상으로 집을 그려온 자신에게도 주지 않으실까 하는 기대가 왜 없었겠나.

　한데 요즘 그는 깨달았다. 어느 날 뜨거운 땅을 기어가는 지렁이를 보고서였다. 온몸에 흙을 묻힌 채 기어가는 지렁이의 고통이 너무도 처절했다. 그 순간 그는 알았다. 집을 아예 받지 못한 존재도 있는데, 그간 그나마 가졌던 집이 오히려 감사한 것 아닌가. 환상을 즐긴 것도 은혜였다. 환상은 이루어질 수도 안 이루어질 수도 있다. 도리어 그분은 우주를 집으로 주셨다. 평생 웅크렸던 그의 자세가 비로소 풀리는 듯 보였다.

구름꽃 피는 언덕

성공한 사람들을 살펴보면 그들에겐 롤모델이나 스승이 꼭 있다. 그들은 그런 존재를 통해 더 먼 곳, 더 높은 곳으로 자신을 이끌어 간다. 그러나 현재 내겐 그런 존재가 없다. 왜 그리됐을까? 순전히 자신의 탓이다. 그래서 60여 년을 넘게 답보(踏步)하고 있는 것일 게다.

내겐 빚진 두 분 스승이 계시다. 박목월 선생님과 박영준 선생님. 두 분이 작고하신 지 무릇 얼마가 지났던고. 대학 2학년이 되었을 때, 우리는 박목월 선생님 댁을 팥 방구리 쥐 드나들 듯했다. 그때 남학생들이 오면 내다도 안 보신다던 사모님께선 여학생들이 반갑다고 재채기가 나도록 단 커피도 대접해 주셨다.

선생님의 서재에서 우리는 경외의 눈으로 사방을 두리번거리며 귓속말을 주고받곤 했다. 소박했던 풍란 분, 천장 끝까지 닿아 있던 책들, 낮은 숨소리가 느껴지던 60년대 말 원효로의 햇빛. 어느 날은 내외 분이 시장에 가서 막사발을 사 오셨다. 그리고 귀퉁이가 찌그러졌는데도 운치 있다 하시며 귀한 듯 쓰다듬으셨다. 우리는 뒤에서 낄낄 웃었다. 선생님 취향 참 소박하시다!

아마 우리는 선생님의 그런 수수한 인품 때문에 서슴없이 댁을 드나들 수 있었는지도 모르겠다. 선생님은 작품 쓰실 때면 내복 바람 채 방바닥에 엎드려 쓰시는 습관이 있다고 했다. 그래서 내복 팔꿈치가 다 해져 몇 번이고 꿰매 입으신다고 했다. 당신의 쑥스러움에 대해 말씀하실 때면 선생님은 혀를 낼름하는 귀여운(?) 모습도 갖고 계셨다.

내가 그렇게 친구들을 몰고 선생님 댁에 자주 갔었던 이유는 원고 받고, 또는 원고료 전해 드리고, 선생님과 시 쓰는 친구들 사이에서 거간꾼(?) 노릇도 하기 위해서였을 것이다. 선생님은 아주 엄격하게 작품 지도를 해 주셨다. 그래서 재학 중에 등단한 친구도 생겼다.

그때 선생님은, 니는 와 소설을 쓰노? 시를 쓰면 좋제. 아니믄 평론을 하던가. 니 기질은 그긴 기라. 그라고 평론을 하면 동규에게 갈 수 있잖노. 또 그라고, 학보사 기자 그만 하그래이. 문장이 거칠어지잖노, 하시며 걱정스럽게 나를 바라보셨다.

그래서 선생님은 내 등단에 부담을 느끼신 듯 나를 당신의 절친 박영준 선생님에게로 보내셨다. 하지만 박영준 선생님은 타 대학에 나가시는 분이니 지도를 받으려면 다방으로 가는 수밖에 없었다. 독특한 외모의 마담이 있던 소공동의 가화다방은 선생님과 나의 강의실이 되었다. 선생님은 원고 말미마다 빨간 볼펜으로 서사의 인과 관계를 꼼꼼하게 써 주셨다.

도리우찌 박영준 선생님! 그때 그분은, 장용학 냄새가 너무 난단 말이야. 그러면 작품 길게 못 써, 라고 내 앞날(?)을 염려해 주셨다. 생명 긴 작가가 되길 바라셨기에 진심으로 걱정하셨던 걸 게다. 그러나 장용학에 폭 빠져 있던 나는 그때 선생님의 객관적 사실적 풍보다는 관념 풍이 더 우위라고 생각하던 겉멋 든 학생이었다. '목련꽃 그늘 아래서 베르테르의 편지를 읽'거나, '구름 꽃 피는 언덕에서 피리를 부'는 걸 유치하다고 생각하던 건방진 학생이었다.

선생님의 예언(?) 탓이었을까? 나는 먼 길을 돌아, 이제야 여기에 와 섰다. 그때 두 분이 염려해 주시던 문제를 빨리 깨달을 수 있게 내가 분별력 있는 사람이었다면 아마 나는 오늘 여기에 있지 않았겠지? 아둔과 겉멋과 건방. 이것이 오늘의 나를 결정지었다. 그러기에 내게 스승이 없었던 건 아니다. 그분들 뜻을 헤아리지 못했던 내 어리석음이 스승 없는 오늘의 나를 만들었을 뿐이다.

요즘 외롭고 지칠 때, 좋은 스승 아래 착실히 성장하는 사람들을 보면 부럽기 짝이 없다. 하지만 솔직히 말하면 내겐 부러워할 자격조차도 없다. 아득히 먼 옛날이긴 하지만, 손 내밀어 주신 두 분을 실망시키며 돌아선 건 분명 나였다. 또한 이제 와 두 분을 목메게 그리워해도 그분들은 더 이상 이 세상 분들이 아니기에 소용없는 일 아닌가.

그러나 두 분 스승께 얻은 것이 전혀 없는 건 아니다. 연필로 작품 쓰시던 박목월 선생님, 모자 쓰시던 박영준 선생님. 그래선가, 나는 아직도 연필로 글을 쓰며, 모자 쓰기를 즐긴다.

그랬기에 해마다 스승의 날이 돌아오면, 늘 가슴에 품고 사는 두 분을 위해 죄송스러운 마음으로 묵념한다. 후회를 먹으며 인생이 익어 가는 느린 자의 슬픔이여! 통렬하게 가슴 치는 회한을 쓸어내리며, 아둔한 자신에 대해 부끄러움을 금할 길이 없다. 한 가지 다행인 것은 이제라도 부끄러움을 알고 그분들께 감사함을 알게 된 점이랄까.

이리하여 지나간 내 젊은 날에 조의를 표하며, 차제(此際)에 할 수 있는 말은 좋은 스승을 만나 잘 따르는 자가 더 높은 곳, 더 먼 곳에 이를 수 있다는 것이다.

6월의 늪

뉴욕 브루클린 에비뉴 S 선상, 데이비드 부디 중학교 국기게양대 곁엔 작은 대리석 판이 하나 있다. 9.11 때 소방관으로 희생된 동문을 기리는 기념판이다. 그것이 헌정되던 날, 전교생이 헌화하던 모습은 인상적이었다. 선배의 희생에 서로 얼싸안고 오열을 삼키던 그들.

그때 희생자들은 우리 이웃이었다. 가게 단골인 캐롯의 사위, 필립의 아들, 등등. 별안간의 비극에 사람들은 할 말을 잃었다. 사망자 152명, 실종 4972명. 언론에서 보도한 희생자들의 숫자다. 그때 사망자들도 안타까웠지만, 더 안타까웠던 사람들은 생사를 알 수 없게 된 사람의 가족들이었다. 우리 집 블럭의 중국인은 딸의 인상착의를 벽보로 만들어 내걸었다. 혹시 마지막 본 사람 있느냐고.

그녀의 귀환을 위해 집집이 촛불을 켰지만 그건 일주일 정도였다. 벽보를 내건 집에서는 석 달쯤 촛불을 켰다. 그러나 종래는 쓸쓸하게 불이 꺼지고 말았다. 하지만 실종된 그녀의 부모 가슴에 그 촛불은 영원히 꺼지지 않고 남았으리라. 꺼지지 않는 안타까움과 함께.

　돌아오지 않는 이들을 기다리는 비극은 역사 속에서 늘 반복된다. 사망자 165 명, 행불자 76 명의 희생을 가져온 비극. 그것도 국민을 보호해야 하는 정부에 의해. 적이 적 다우면 오히려 분노하기 괴롭지 않다. 적이 될 수 없는 대상이 적이 되었을 때의 분노란 참으로 복잡하다.

　남편이 출국하고 사흘 만에 일어난 그 역사적 사건. 그때 잊을 수 없었던 일이 있다. 남편 친구들 누구나 그가 집에 없다는 사실을 알고 있었다. 한데 그 사건 한 달쯤 뒤, 남편 앞으로 편지가 왔다. 남편 친구는 편지 두 장에 걸쳐 말했다.

　"어머니 모시고 잘 지내고 있겠지? (중략) 이번 소요 사태는 불순분자가 개입돼 일어난 비극이다. 정부는 최선을 다해 질서를 회복시키고 시민 안정에 힘쓰고 있다. 이 진실을 국민은 알아야 한다."

　공무원이기는 하지만 행정과는 거리가 먼 식약청, 게다 연구원이었던 그가 집에 없는 줄 아는 친구에게 왜 이런 편지를 보냈을까? 남편 대신 편지를 읽으며 의심이 가득 일었다. 조작된 진실의 냄새가 썩은 생선처럼 심하게 풍기는 편지에서, 아! 이번 사태는 분명 정부가 개입한 거구나, 알아챌 수 있었다. 그래서 관계도 없는 공무원들까지 동원해

민심 안정의 편지를 강제로 쓰게 하는 거구나. 정부가 개입돼 있단 증거는 이 편지 하나면 충분하지 않을까. 몹시 두려웠던 기억이 아직도 선연하다. 그러나 그 정부의 주체였던 그 가해자들은 지금껏 사과할 줄 모른다.

그로 해 30 여 년이 지난 지금, 165 명의 유가족은 그들의 묘역에라도 갈 수 있지만, 그러나 나머지 76 명 가족은 갈 곳도 없이 바람에라도 그들의 소식을 묻고 듣고 싶어 한다. 생생한 상처와 함께.

내 집에도 이런 일은 현재진행형이다. 남편의 두 형님이 전사했기 때문이다. 하지만 시신을 확인한 둘째 형님과 달리 큰 형님은 기록상 전사다. 북한군과 첫 번째 전투를 치른 부대에 배속되어 있었기에 전사로 추정할 뿐, 정확히 말하면 실종이다. 그랬기에 남편은 늘 형님 등에 업혀 갔던 애관극장, 만국공원, 용동 큰 우물을 회상하며 생존의 기대를 저버리지 않았다.

또한 어머님도 돌아가실 때까지 35 년간 아드님을 기다리셨다. 생존의 가능성을 조금만 암시받아도 얼굴이 환해지셔서 안타깝게 한숨을 내쉬셨다. 병환으로 몸져눕게 되시면서는 방문 열고 하늘만 바라보셨다. 현충일에 동회에서 물건들을 보내오면 집어 던지기도 하셨다. 내가 필요한 건 아들이지, 이따위 옷감이나 수건 나부랭이, 보국

훈장이 아냐. 난 아들이 필요해. 돌아누우신 그 등에서 읽을 수 있던 부르짖음과 슬픔과 외로움.

6월이 돌아올 때마다 나는 이 계절을 무심히 넘길 수가 없다. 어머님의 마음이 전이된 탓일까? 그보단, 60년이 지나며 사회 구성원들이 그 비극을 잊어버리고, 돌아오지 않은 사람들 찾는 노력을 방기하고 있기 때문이다. 심지어 남쪽이 먼저 침략했다고 주장하는 사람들도 나왔다. 그들은 그 전쟁을 경험했을까? 어떻게 자신들이 살아남은 사람들이 되었는지 아는 걸까? 자신들의 존재함이 그냥 주어진 것이라고 생각한다면 너무 무심한 게 아닌지.

이런 재해에서 가장 나쁜 것은 돌아오지 않은 사람들을 주위에서 잊어버리는 것이다. 안타깝게 기다리고 있는 가족들은 어쩌라고. 욕망이 권력의 갑주를 입게 되면 남의 삶을 손쉽게 파괴해 버리고도 의연(?)하다. 욕망에서 분리해낼 수 없는 권력의 속성. 이건 삶이란 벌판을 지나며 만나는 질 나쁜 늪이다. 우리에게 6월의 이 늪은 아직 너무 깊다. 이로부터 자유로울 날은 언제일까?

꽃이 피다

때로 잠을 이루기 어려운 밤이 있다. 어둠 속에서 숨을 죽이며 근육이 이완되길 기다려도 정신은 오히려 더욱 또랑또랑해 가기만 한다. 베개에 눌린 귓바퀴가 깨지도록 몸을 잠들기에 집중시켜 보지만 야차에게 잡혀갔는지 잠은 도무지 찾아올 줄을 모른다. 시계가 한 시를 넘어 가리키면 오지 않는 그놈에게 서운함조차 느껴진다. 이토록 기다리고 있건만 넌 어느 처마 밑, 찬 이슬에 젖으며 놀고 있단 말이냐. 달도 없는 이 캄캄한 밤에. 어기야 어강됴리!

한숨과 함께 뒤채며 돌아눕다 보니 문득 짚이는 바가 있다. 잠들기 전 뭘 했던가. 그놈 쫓을 짓을 잔뜩 해 놓고, 이제 와 오길 기다리다니. 생각해 보니 면목이 없다. 공으로 이루어지는 건 아무것도 없거늘 잠 이루기가 쉬울까. 전문가(?)들이 설명하는 잠 이루기는 생각만큼 단순하지 않다. 그놈을 쫓을 음식물 섭취 주의는 물론, 낮 동안 적당한 운동을 해서 몸이 잠들겠다는 의지를 갖도록 해야 한단다. 즉 수면량을 모았어야만 했다. 날씨가 건조해지면 식물들이 내생휴면하고 냉각량을 저축하듯. 그리고 몸이 잠으로 몰입할 수 있도록 노동 총량 모으기에 박차를 가하여야만 몸이 잠에 점령되어 드디어 수면이 꽃 피우게 되는 것이다. 노동 총량에 의해 꽃으로 피는 잠.

인간관계도 마찬가지다. 그 과정은 생각만큼 단순하지 않다. 관심이란 관계 보존 장치를 가동하여, 일지 기록하듯 성실하게 신뢰량을 쌓아 가야만 한다. 그 신뢰량은 차가운 겨울나기를 하듯 부침을 겪으며 다져가야만 하지 단숨에 그 양에 도달하면 부실한 토양에 무너지는 봄의 논둑 같아진다. 그러기에 그 신뢰량은 노력이란 가온량이 함께 작동해야만 한다. 노력이란 숙성 장치를 가동하여 전심전력해야 따끈한 관계가 조성된다. 관심과 노력 총량에 의해 꽃으로 피는 인간관계.

신앙도 그렇다. 믿음이란 관계 보존 장치가 작동 되어야 신앙은 가납(嘉納)된다. 믿음이란 결단, 그리고 회개라는 냉각량이 채워져야 자기 포기가 이루어진다. 나아가 전심전력 기도로 가온량을 채우도록 힘써야 한다. 즉 기도를 쌓아 인격적 소통이 형성되어야 한다. 회개와 기도의 총량에 의해 꽃으로 피는 신앙.

작품 한 편 빚기도 똑같다. 나이 먹어가게 되면 누구나 한 번쯤 꿈꾼다. 살아온 과정을 후손에게 글로 남기면 춘몽

같은 일생이 헛산 게 아니게 될 터인데 하고. 그래서 여기
저기 문학 강좌를 기웃거리게 된다. 그래도 한때 문청
(文靑)이었다거나, 고교 시절 국어 점수가 괜찮았다거나,
문장력 있다는 말도 들어본 터이면 욕망은 더욱 활활 타
오른다. 잘하면 노년을 지면에 이름 올리며 수준(?) 있게
지낼 수 있을 터이니 이건 넝쿨째 굴러온 호박 아닌가.

그러나 거기 간과한 것이 하나 있다. 문학이 예술이란
점. 예술은 창작이다. 일반인과 창작인이 같은가. 이 점을
간과한 채 혼미의 밤이 거듭된다. 왜 내 글이 나쁘다는
거야. 산전수전 겪은 내 인생이 거기 녹아 있는데, 충분히
감동적이지, 암! 자신을 알아주지 않는 사람들에 대해
분노와 원망이 웃자란다. 그러나 그 정도의 감동은 이웃집
할머니 할아버지도 다 경험한 바이니, 새로울 게 없다.
이쯤에서 꿈 깨면 좋은데, 한 번 먹은 마음이 어디 쉽게
바뀌나.

이때 꼭 기억해야 할 것이 글쓰기에는 구성에 관해 일
신(日新)이란 냉각량이 모여야 한단 점이다. 차갑게 자신
을 응시하며 객관적으로, 그러나 주관적 매력이 넘치게 써
내야 한다. 이런 줄타기는 문신(文神)이 슬쩍 그림자라도
비춰 줘야 가능하다. 하지만 문신이 별에서 여기 도착하기
까지의 여정은 만만한 게 아니다. 차라리 섬돌에 비치는
달을 기다리는 쪽이 더 수월할지 모른다. 아무튼, 그리 하

여 어느 날 그의 도움을 받을 수만 있다면 탁마(琢磨)를 거
듭하여 가온량을 채워 작품 한 편이 이루어진다. 일신이란
냉각량과 탁마라는 가온량의 총량에 의해 꽃으로 피는 한
편의 글.

그럼 꽃은 정작 한 송이 꽃을 어찌 피우는지 한번 보자.
전문가들이 설명하는, 꽃의 개화 과정도 생각만큼 단순하
지 않다. 식물들은 날씨가 건조해지면 내생휴면(內生休
眠)에 든다. 철모르고 꽃을 열었다가, 뒤이은 추위에 얼어
죽는 낭패를 보지 않으려는 생명 보존 장치인 셈이다. 그
러며 생체 시계에 냉각량(冷却量; 저온 요구량)을 모아,
어느덧 겨울이 깊어 그 수치가 정해진 양에 이르면, 마침내
잠에서 깨어난다. 하지만 겉으론 계속 잠자는 듯 보이게 한
다. 마치 동면에 든 동물들처럼. 그리하여 드디어 가온량
(加溫量; 고온 요구량)이 채워지면, 비로소 개화를 이룬다.
이렇듯 한 송이 꽃에 장장 9 개월이 걸린다. 난마처럼 얽힌
섭리로 이같이 모든 것은 꽃 핀다. 초조해한다고 되는 노
릇이 하나도 없다. '때가 차매' 이윽고 꽃은 피어난다.

고맙습니다

변신과 합체

변신과 합체 (Transformer & Combined). 여섯 살짜리 손주가 가장 좋아하고 많이 쓰는 말이다. 하긴 로봇놀이 좋아하는 애들만일까. 록뮤직에 열광하는 청소년은 물론 20대, 심지어 국가의 부(富)를 좌지우지하는 대기업도 가장 좋아하는 말이 이게 아닐는지. 아마 노년도 마찬가지일 게다. 목숨 다하는 날까지 변화하지 않고는 생존에 적응할 수 없는 게 생명이니까.

그러니 생로병사를 갖는 언어도 마찬가지다. 자연 발생적이었던 언어는 르네상스 이래 권위가 더해져, 몸을 바꾼 나머지 인간을 좀비화하여 그 정신 체계(?)를 교란하고 있는 중이다. 그래서 손주가 로봇놀이 하고 있는 옆에 앉아, 언어론 저런 변신 합체 놀이가 안 될까 공상해 본다.

우선 글자를 변신시켜 보자. 자모 판을 머릿속에 펴 놓고 상상을 시작한다. 내가 공씨이니 우선 공을 선택한다. 공을 뒤집으면? 국을 뒤집으면? 순간 나는 의자 등에 기댔던 몸을 벌떡 일으켜 가상의 게임 조정기를 더욱 쥐었다.
공과 운, 국과 논, 군과 곤, 놈과 묵, 는과 극, 몬와 굼, 몸과
뭄, 문과 곰, 옴과 뭉, 욕과 늉, 응은 뒤집어도 응이다. 를도
그렇구나.

　Hey presto! 외치기만 하면 마구 변신해대는 애들 만
화 같다. 야! 대박이다. 흥분한 나머지 침을 꿀깍 삼켰다.

　공을 뒤집어 변신시키면 운. 공도 운도 어디로 굴러
갈지 아무도 모른단 점에서 둘은 의미의 합체를 이룬다.

　국을 뒤집으면 논. 논의 소출이 좋아야 국 건더기도
생긴다. 이도 의미의 합체다.

　군과 곤도 합체가 될까? 물론이다. 군(軍)이 무엇인가.
국방의 곤(坤=기본)이다.

　놈과 묵도 그렇다. 놈이라고 누군가를 잘못 불렀다간
묵이 될 것이다. 묵사발. 하하!

　는과 극은? ~는 이란 조사가 붙어야 극(極)에 달하는
상황도 원만하게 종결된다.

　몬과 굼은? 몬(먼지)을 빨리빨리 청소하지 않으면 굼
(굼벵이, 굼뜨다)이라고 핀잔받기 십상일 것이다.

　몸과 뭄은? 몸은 마음이잖나. ㅁ+ 아래 아+ ㅁ=맘이다.
고어에선 ㅗ와 ㅜ, ㅏ의 흔적이 같다.

　문과 곰은? 하긴 문을 나서면 곰처럼 놀아야 하루가
편하다. 여우처럼 놀다가는 욕만 먹고 만다.

옴과 뭉은? 옴이 옮으면 치료를 빨리 받아야지, 아니면 피부가 그냥 뭉그러질 것이다.

욕과 늉은? 욕이란 말을 쓰기 곤란할 때, 늉을 거꾸로 쓴 글자! 라고 하면 좀 더 점잖게 느껴지지 않을까? 실제로 이렇게 쓰는 분을 본 적이 있다.

응은 뒤집어도 응. 긍정의 힘이다.

를도 뒤집어 봐야 또 를. 조사 ~를. 연결의 힘이다.

영어의 경우엔 어떨까? 어느 전직 대통령 덕에 요즘 유행하는 말 Oral hazard. 여기에 m을 얹으면 Moral hazard 가 된다. 도덕이 해이해지면 구설수를 불러올 것은 자명하다. 따라서 m 한 글자 빼서 변신하면 '해이'란 합체가 이루어진다. 하지만 이건 한국식 영어다.

진짜(?) 미국식 영어 constitution과 constipation 은 어떤가. tu 가 pa로 변신하면 절대 일어나선 안 될 일이 벌어질 것이다. 헌법이 잘 소통되지 않아, 변비 현상을 일으켰다? 분명 정부 폐쇄 같은 비상사태가 일어나 국민은 불편해질 게다. 따라서 두 단어는 합체가 잘 이루어져야 할 운명의 단어들이다.

또 onion과 opinion의 경우, onion에 Pi가 첨가돼 변신을 일으킨 결과는 어떨까? 양파가 심하게 매우면 자를 때 눈물 나고, 의견이 심히 신랄하면 들을 때 상대편에서 눈물을 흘릴지도 모른다. 그러기에 의견을 개진할 때는 양파 자르듯, 각전의 난전 몰 듯하면 불행한 결과가 올지도 모른다. 국민 행복 증진을 위해 일하는 국회의 의정을 논하는 자리에 드잡이가 일어나는 경우가 바로 이 경우 아닐까. 그러니 이 낱말들도 합체가 잘 이루어져야 할 단어들이다.

합체가 잘 이루어지는 낱말엔 ten도 있다. 뒤집어 net이 되는데, 적어도 무엇이든 열 개는 모여야 네트가 되지 않을까. Time은 어떨까? Emit. 시간이 내뿜어지면 어떤 현상이 일어날까? 상상만으로도 재미있다.

여기까지 생각이 이르자 애들 말로 유레카, 도연명 식으론 별유천지, 심마니 식으론 심봤다! 라고 외치고 싶은 심정이 되었다. 이렇게 말이 재미있을 수도 있구나! 더 찾아보면 얼마든지 찾아낼 수 있는 글자의 변신과 합체. 이 재미있는 유희(遊戲)를 더 풍부하게 만들려면 어떻게 해야지? 혼자만 즐기기엔 입이 너무 근지럽다. 자리를 뱅뱅 돌며 궁리에 빠진다. 느리게 흘러가는, 어느 비 갠 여름날 오후, 나는 변신과 합체 속에서 길을 찾아 헤맸다.

대체 뭐로 만든 걸꼬

식약청에서 스크럽 제품 생산 중단을 권고한단 기사가 언뜻 눈에 스쳤다. 스크럽이라… 뭘 북북 문지른단 거지? 생소한 용어가 어디 이뿐이랴. 뭘 뜻하는 외국어(?)인고 해서 내용을 읽었다. 뒤지지 않으려면 그저 부지런해야 한다.

"우리가 쓰는 생활용품, 화장품 속 미세플라스틱은 물과 함께 씻겨 내려가 세면대로 흘러간다. 제품당 많게는 무려 36만 개, 심지어 280만 개의 플라스틱 알갱이가 들어갈 수 있고, 한 번의 세안에 많게는 약 10만 개의 마이크로비즈가 사용될 수 있다. 문제는 이 알갱이들이 하수 처리 시설에서 걸러지지 않을 만큼 크기가 작다는 데 있다. 이렇게 흘러간 마이크로비즈는 강, 하천으로 흘러 바다로 직행, 해양 생태계를 위협한다.

생태계 먹이 사슬을 통해 다시 우리 식탁에 오른 물질은 신체 내분비 계통과 뇌에 이상을 일으킬 수도 있기에 정부는 내년 7월부터 이 물질이 들어간 제품의 생산과 수입을 전면 금지하기로 했다."

이건 화장품 가게에서 몇 번 받아왔던 세안제 얘기잖아. 고백하건대, 촌스럽게도 세 종류 화장품으로 평생 만족해 왔는지라, 스크럽 제품이란 용어가 생소했다. 하지만 경제성을 따져, 화장품 살 때마다 주는 시제품은 깔축없이 챙겼기에 몇 번 써 본 적은 있다. 각질 제거에 효과적이란 판매원의 업투데이트(?)한 설명에 몇 번 사용해 봤고, 작은 알갱이들을 얼굴 위에 얼마간 굴린 뒤 물로 씻어내면 뽀드득한 느낌이 나는 게 나쁘지 않았다. 그래서 앞으론 세 종류 외에 이것 하나 더 추가할까 궁리 중이었건만…

세상에! 그게 플라스틱이었다고? 이 신통한 물건이 대체 뭐로 만든 것일꼬, 혹시 감자 조각 아닐지, 나름 가늠해 보며 궁금했던 차라, 사탕 뺏긴 애처럼 멍해졌다. 립스틱에 갈치 비늘이 들어간단 기사에 기막혔던 건 아무것도 아니게 뭔가 속은 듯, 자신의 무지함이 부끄러웠다. 그 폐해에 대한 경각심으로 이젠 마트에서조차 사용하지 않는 플라스틱 백. 태평양 한가운데 텍사스주 크기만 한 플라스틱 섬이 떠다니고 있다 하는데 화장품이랍시고 얼굴에 플라스틱 알갱이를 굴리고 있었다니.

문제의 그 스크럽 제품을 가차 없이 쓰레기통에 던져 넣었다. 하고 보니 연전에도 화장품을 버린 적이 있다. 워낙 유행에 뒤진지라, 판매원이 아무리 좋은 신제품이라 권해도 바람에 쓰러져 누운 나무둥치처럼 꿈쩍도 하지 않아 왔는데, 그 날은 태반 제품이라며 시제품을 가방에 넣어 주기에, 세상에 뜨르르한 아무개도 쓴다니 혹시 하며, 께름한 채 그냥 집에 왔다.

하지만 께름함의 정체가 맘에 걸렸다. 태반? 아기와 엄마를 이어주는 생명의 연결 기관이다. 미에 대한 욕망이 아무리 강렬하게 공격해 와도 생명이 시작되는 태반을 화장품의 원료로 써야만 할까? 괴기스러운 월하의 공동묘지 영화 장면이 떠올라 순간 소름이 돋았다. 인간으로서 할 수 있는 일이 있고, 할 수 없는 일이 있다. 차라리 밭 두둑에 선 할머니의 주름진 피부가 더 미적일 수도 있다. 집에 도착하자 미련 없이 그것들을 쓰레기통에 버렸다.

60줄에 들었을 때, 이젠 나이대접 좀 하잔 깜냥에, 물경 삼백 불 넘는 영양 크림을 산 적이 있다. 분수에 넘는 소비였다는 반성에 절로 기대감도 높았다. 하지만 거금을 쾌척한 그 영양 크림은 다 쓰도록 피부에 아무 변화도 주지 않았다. 아무리 살펴보아도 기대한 바를 찾을 수 없었다.

ABC 크림 세대에겐 지금은 화장품 박물관에 들어앉아 있는 ABC크림이 그저 제일이다. 오래전, 아무리 화려한 외양을 입혀, 고급 원료를 사용한 제품이라 광고할지라도 그 기본은 ABC 크림에 향료를 고급화한 것에 불과하다는 전문가 칼럼을 읽은 이래, 최신 브랜드 화장품 구매를 자제해 왔다. 해당 브랜드 중 가장 저렴한 제품으로 시종일관, 평생 만족했다. 하기에 주저 없이 태반 화장품을 버렸는 지도 모르겠다.

한데 이 시점에서 문득 의혹이 떠오른다. 기본 중의 기본으로 알았던 ABC크림은 그럼 무엇으로 만들었을까? 매일 사용하는 치약에 부동액, 분필 가루 등이 들어간단 기사에 얼마나 황당했던가. 매일 마시는 커피 생산을 위해 10여 세 아이들의 노동력이 동원된다는 기사. 아는 것 보다 모르는 것이 더 많은 세상. 심지어 가장 잘 안다는 자신에 대해, 당신은 자신이 무엇으로 만들어졌는지 아는가? 누가 당신을 만들었는지 아는가? 이 점 생각해 본 적 있는가? 잘 알지도 못하면서 너도나도 잘 아는 척, 훤화(喧譁) 사설하며 살아가는 세상이다. 돌아보면 인간으로서의 절도를 지키고, 분별하며 살기가 참으로 힘들다. 도대체 어떻게 하는 것이 소중한 나를 지키고 사는 최선의 길일까? 하니 아이들 말을 흉내 낼 수밖에. 합죽이가 됩시다, 합!

은밀한 도시

　지난해, 내게 봄은 껑충 뛰어서 왔다. 늦겨울인 2월 초에 떠나 3월 말에 돌아왔으니, 시애틀의 봄이 물구나무서기를 하듯 다가들었던 탓이다.

　서울 여행 중, 가장 인상적인 일은 친구들을 만난 일이었다. 그간 세 차례나 다녀 왔지만 시간에 쫓겨 친구들을 만날 겨를이 없었다. 그러나 이번엔 작심하고 갔다. 그들은 연락받자마자 헤어졌던 시간을 상쇄시키기라도 할 듯 서둘러 모였다.

　그리고 작심했음에도 역시 빠듯한 일정으로 자리에서 일어서자, 강남에서 만났던 친구 중 하나는 수유리 언니네까지 따라붙었다. 광화문에서 만났던 친구 중 한 명 또한 수유역까지 동행하며 헤어짐을 아쉬워했다. 그처럼 그들은 그 30여 년의 시간이 흘러간 적이 없었던 것처럼 굴었다.

　부족했던 내 모습은 모두 빼 버리고, 내가 고맙게 해주었던 일, 좋았던 일들만 회상하며, 그들은 그간 볼 수 없

135

었던 걸 아쉬워했다. 심지어 30여 년, 40여 년 전에 내가 했던 말들과 행동들까지 상기시키기도 했다. 정말 내가 과거 그리 친절한 사람이었나, 주위에 도움 되는 존재였나, 그리 철들은 젊은이였나, 그리 멋진 말들을 했었나, 도무지 믿어지지 않는 사실이었지만 그들은 인증 인(?)조차 칠 태세였다.

친구들의 한 마디 한 마디에 의해 젊은 날의 내 모습이, 과거의 시간이 퍼즐 맞추듯 재조립, 복원되는 순간들이었다. 그래서 과거의 살아 움직이는 나를 만날 수 있었던 사실, 빛바랜 시간이 생생하게 다시 일어서는 즐거움은 경이의 경험이었다.

이는 친구들이 없었다면 가능하지 않은 일이었을 게다. 내가 고마웠던 존재가 아니라, 시간을 뛰어넘어 그런 사실들을 시시콜콜히 기억해 주는 친구들이 더 고마운 사람들이었고, 귀한 존재들이었단 깨달음이 새삼 가슴을 쳤다.

그러나 그들로 해서 촉발된 그리움을 찾아, 부모님과 조부모님의 산소를 찾고, 과거의 공간에서 내 모습을 더듬어 보려 했을 때였다. 친구들 속에 살아 있는 나를 제외하고, 어디에도 그런 흔적은 없었다. 자그마치 40여 년을 생활했던 서울, 인천 근교 어디에도 없었다.

시간이 무찌르고 지나간 거기엔 옹색하고 남루했던 모습이 지워져, 과거의 시간 따위는 없었다. 기억의 이정표

구실을 하는 주안역, 남대문시장, 동대문시장도 달라져 있었고, 광화문의 세종대왕, 이순신 장군도 주소는 같았지만, 예전 그 자리에 계시진 않았다. 심지어 도봉산마저 달라져 있었다. 어딜 가도 볼 수 있는 외국인들, 복부를 드러내고 시원하게 흘러가는 청계천. 더는 난마(亂麻)가 아닌, 불편하지 않게 잘 정리된 도시는 또 하나의 이국이었다. 젊은이들 취업이 어렵다는 엄살과는 달리 자신감에 넘치는, 삶의 동력이 왕성하게 느껴지는 사회였다.

사람들 또한 현재의 사람들이었다. 돈을 낼 때마다 현금영수증 발급해 드려요? 하는 질문, 스마트폰으로 검색하고 예약하고 결재하는 손님들, 전자 카드 하나로 환승 연계 가능한 교통 체계, 미래의 어느 외국 도시에 와 있는 느낌조차 들었다. 이방인이 되어 두리번거리는 자신의 모습이 고아처럼 남루하게 느껴졌다.

그 순간 머릿속이 회전되며 두 개의 도시가 일어섰다. 친구들 속에 살아 있는 나의 도시, 현재 서 있는 낯선 도시. 기억에 의해서만 조립되기도 하고 해체되기도 하는 두 개의 중첩된 도시. 그 두 개의 도시를 열 수 있는 비밀번호는 나였다. 나만이 그 문의 축을 회전시켜 비밀의 공간으로 들어갈 수 있었다. 그 도시 속에서 형제들은 집이었고, 친구들은 꽃이었고, 가로수이며 바람이었다. 왜 지금 와서야 이 점을 깨닫나? 내가 바로 뒤늦게 깨닫는 에피메테우스였구나.

그 도시에 남은 마지막 거점을 찾아야 했다. 삼선교 나폴레옹 제과. 그러나 현실 속에선 역시 없는 공간이었다. 그 집에선 등단 무렵의 박완서 선생의 모습도 먼발치로 볼 수 있었고, 윤기나는 까만 머리의 친구들 모습도 찾아볼 수 있었는데. 일상적으로 들러, 럼주 맛 나는 작은 케이크를 즐기며 수다로 하루를 마감하던 그 시간이 만복의 근원께서 주신 선물이었던 걸 왜 지금 와서야 알게 되나.

아쉽지만 그 도시의 성문은 그만 닫아야 했다. 복개된 성북천 위에서 나는 하릴없이 구두 뒤축으로 땅만 문질러댔다. 현실의 낯선 도시엔 역시 허망하게 부는 황사 속에서 봄이 뒤틀며 몸을 일으키고 있었다.

네 꾸러미를 이 땅에서
수습하라

큰 조카딸이 수술을 받았단다. 경과가 궁금해 전화했다. 전화선을 타고 들려오는 그 애의 낭랑한 목소리를 듣는 순간 눈물이 쿡 쏟아졌다. 생각지도 못했던 상황에 놀라 그만 어물쩍 말꼬리를 내리고 말았다. 이보다 더한 일들도 넘기며 살아왔는데, 눈물이라니… 워낙 활달한 조카딸이었기에 거기에 편승해 짐짓 너스레를 늘어놓았다. 네 짐덩어리 노인네들 놀라게 하지 말고 빨리 회복해라. 기둥이 아프면 쓰냐. 그 애가 이쪽의 눈물을 눈치채지 못하도록 이기적(?)인 덕담으로 통화를 마쳤다.

전화를 끊은 뒤, 왜 눈물이 쏟아졌던가 자꾸 곱씹게 됐다. 뼈가 약해지는 나이가 되면 마음도 물러지는 건가, 희연을 받아먹고 나니 나잇세 치르려 하는 건가… 종일 달라

고맙습니다

붙어 떠나지 않던 모호한 심사에 종지부를 찍게 해 준 키워드는 가족이었다. 가족이잖아! 가족에게 대한 염려.

연말이다. 또 한 해가 가고 있다. 해마다 하는 경험임에도 당할 때마다 첫 경험처럼 당황스러운 연말. 시간을 도둑맞은 느낌에 마음은 허둥대기만 한다. 못다 한 숙제를 안고 새해를 맞아야 하는 심정은 늘 개운치 않다. 얼마나 가지게 됐느냐, 얼마나 더 움켜쥐었느냐에 대한 회한이 아니라, 얼마나 나누고 돌아보았느냐에 대한 미진함으로 마음이 복잡하기 때문이다.

이 헝클어진 마음을 그나마 붙잡을 수 있는 건 가족이 있단 안도감에서 비롯되는 게 아닐까. 가족 사랑! 연말의 가족 사랑을 표현한 문학 작품으론 오 헨리의 『크리스마스 선물』만 한 게 없다. 20 대 초반의 어린 부부, 짐과 델라가 서로를 위해 사 온 크리스마스 선물을 저자는 현자의 선물이라고 불렀다. 그들이 준비한 선물, 시곗줄과 머리빗의 가격을 현실적으로 따져 본다면 매우 기우는 가격이다. 또 둘에게 더는 필요하지 않은 선물들이기도 하다. 하지만 둘은 세상에 둘도 없는 소중한 물건으로 여겼다. 금액으로 비교하지 않고 사랑의 함량으로 달았기 때문이다. 하기에 동방박사의 선물이 될 수 있었을 것이다.

이 의미를 한 걸음 더 나아가 생각해 본다. 짐의 시계는 아버지에게서 물려받은 것이니 그냥 시계가 아니고

140

가계(家系)를 이어갈 전통의 의미이고, 가장인 남성으로서의 권위의 상징일 수도 있다. 델라의 머리 또한 시간이 지나면 다시 자랄 수 있는 단순한 머리가 아니라 여성의 자부심을 상징하는 미를 뜻한다. 스르르 흘러내리는 황금의 폭포라니! 하면 이처럼 정체성을 포기하며 얻은 그들의 사랑이 의미하는 건 뭘까. 자신을 낮추고 버려 상대에게 부어 주는 마음, 나 아닌 너를 아끼는 이타(利他)의 완곡한 표현이다.

사랑의 정곡(正鵠)은 이타다. 인류는 누구나 이런 사랑을 이미 골고루 차별 없이 받았다. 못 받아 의아해 하는 분이 있다면 이 사실을 모르고 있거나, 그분을 선물로 인정하지 않는 탓일 게다. 혹시 자신의 내부에서 울고 있는 또 하나의 나를 발견한 적이 있으신지. 그렇다면 당신은 이미 그분을 만난 적이 있는 것이다.

시간상 그분은 이미 다녀가셨다. 그리고 해마다 연말이면 소설 『크리스마스 선물』처럼 꼬인 결말로 얼룩진 우리 삶을, 꼬인 그 현실을 사랑으로 정화한 젊은이들처럼 반듯하게 펴서 환한 현실을 만들라고 깨우쳐 주며 함께 해 주신다. 한 해를 다시 살아갈 용기를 주신다. 나를 위해 근심해 주는 존재가 있다는 사실은 혼란의 세월을 살아야 하는 오늘날 참으로 미더운 힘이 된다.

오늘도 그분의 말씀을 듣는다. 네 꾸러미를 이 땅에서 수습하라. 가족에 대한, 인간에 대한 마음이 곡진해지는 것도 이 때문인지 모른다. 살아낼수록 꼬이고 무거워지는 짐. 갈등으로 찢긴 상처를 털어내는 방법은 오직 비우고 덜어내기다. 쓸모없는 것을 소중한 것으로 여기고 꾸려 넣진 않았는지, 덜어낼 것을 무심히 그냥 싸 담진 않았는지, 잘 살펴볼 일이다. 덜고 비워 이르는 가벼움, 비상(飛翔)의 경지에서 누리는 자유로움. 이때 무엇보다 꼭 덜어내야만 할 것은 애착이란 애물이다.

길에 서 있는 사람들에겐 행장이 가벼워야만 한다. 어느 날 갑자기 '여름 실과 한 광주리' 턱 안겨 주실 때, 회한으로 받지 말고 하나하나 짐을 덜어내, 광야를 걷기에 알맞은 크기로 가뜬한 행장을 꾸릴 일이다. 하기에 꾸러미를 돌아볼 수 있는 성찰과 변화의 시간, 연말이란 시간이 매우 귀하다. 아직 선물을 못 받으신 분들이 있다면 이 소중한 선물을 꼭 받으시길 빈다. 메리 크리스마스!

개밥의 도리토

가을이 여물어 가고 있다. 사방에서 가을 색이 가슴 벅차게 쳐들어온다. 팔레트에 색깔 섞고 계신 분의 손길이 선연하다. 그 손길이 느껴지는 철이 되면 그림 하나가 늘 떠오른다.

60년대 말, 용인 벌판. 조락(凋落)의 계절에 오른 여행길이었다. 그 빈 벌판 끝에서 인영(人影)이 떠오르더니 점점 가까워갔다. 지켜보는 사이 그 인영은 피할 수 없는 밭둑에서 조우했음에도 곁도 안 주고 스쳐 지나갔다. 윤동주의 시구, '괴로웠던 사나이 행복한 예수 그리스도'가 절로 떠올랐다. 몇 시각 전, 벌판 끝에 동그마니 세워진 교회가 유별하게 눈을 끌어 살짝 문을 밀고 들어갔을 때 그가 뜨겁게 설교하고 있던 탓이었다. 어깨에 세상 괴리를 가득 진 듯 고개를 떨구고 발을 끌며 지나가던 그. 그땐 교회 생활을 몰랐기에 그 모습이 의아했다. 사랑이 본체

이신 분을 믿는 사람들은 다 행복한 게 아니었나? 오랫동안 그 일은 기이한 모습의 그림엽서로 남았다.

요즘 비로소 그 의아함이 풀려가고 있다. 선배는 자주 괴리를 토로한다. 30 여 년을 함께 했던 교우들이 이적 (移籍)하는 걸 그냥 바라봐야 하는지, 자신도 떠나야 하는지, 교회 찾아 유랑하는 세태가 서글프다고. 왜 이런 세태가 반복될까.

복음을 선포하는 분도 이를 듣는 회중도 마음이 비어 있는 건 아닐까. 추상적으로 변질된 사랑. 복음을 전하는 분도 한 영혼에 관해 관심이 없고 (롬 1/ 31 에 분명 쓰여 있다. '무정한 자', 이는 진노를 불러오는 죄라고.), 회중도 말로는 복음을 잘 알면서도 복음의 능력에 대해선 확신이 없는 게 아닌지. 과부와 고아를 돌보라 하셨건만 독신 출석자에게 목장 사역 그룹은 더욱 차갑다. 해서 오늘도 회중은 편리와 이해 상관을 찾아 유목민이 되는 게 아닌지. 이런 경우 교훈을 거스려 분쟁을 일으키고 거치게 하는 자들을 살피고 저희에게서 떠나라, 한 바울의 말이 서로에게 큰 면죄부가 되는 걸까.

하지만 인간은 사회적 동물이다. 이 말엔 적어도 관계를 맺어야 할 너와 나가 있고, 그 매개는 사랑이다. 인간은 어떤 경우에도 사랑의 힘으로 지속되는 존재다. 최근 재미있는 과학 기사를 읽었다. 인류의 조상 네안데르탈인과 호모사피엔스가 공존한 시간이 1500년 정도 라며, 둘 중 하나가 도태된 이유를 흥미롭게 소개했다. 네안데르탈인은 각자 생존을 궁구했으나 호모사피엔스는 협업(協業)함으로 종족을 보존시켜 오늘의 현생 인류가 됐단다. 인간이 왜 서로 사랑을 나눠야만 하는 사회적 동물인가 과학적 근거가 되는 기사였다.

뿐만 아니라 하나님이 왜 삼위일체로 일하시는지 재빨리 이해됐다. 협업하시는 삼위일체께서 당신들의 방법대로 교회란 시스템 안에서 우리가 협업하도록 만드셨던 거구나, 쉽게 깨닫게 됐다. 협업은 사랑의 다른 표현이다. 영국의 저명한 작가는 말하지 않았나. 사랑도 행복도 연습으로 얻어진다고. 하기에 사랑 없는 공동체는 인간다운 욕망으로 어느 정도 유지 가능하나, 변질되어 추진력을 잃게 되기 쉽다.

이제 곧 세밑 세모가 닥친다. 사회 분위기는 아연 변하여 사방에서 복음이 오셨음을 캐럴로 알리고, 구세군의 자선냄비 온기가 시월 상달 떡시루 김처럼 피어오를 테지. 그러나 세모가 지나면 연례대로 돌아갈 것이다. 연중 없던 사랑이 연말만 되면 어디서 그리도 많이 몰려나올까.

하지만 진정한 사랑을 유산으로 남겨 두고 가신 분도 있다. 23년 전 머킬티오의 한 목사님께서 지역 사회를 위해 무료 성탄 음악회를 여셨다. 복음의 궁극인 이웃 사랑을 보이셨다. 세상 뜨신 후도 유족들이 유지를 받들어 그 음악회를 이어 오고 있다. 이 음악회는 올해도 12 월 7 일 오후 7 시 30 분 린우드에 있는 트리니티 루터란 처치에서 열린다. 어려움을 극복하며 23 년을 이어 오는 동안 이 행사는 그 지역 사회의 전통이 됐다. 또한 이는 한인 사회의 문화유산이기도 하다. 하지만 아직도 이를 소원한 눈으로 보는 한인들도 있단다. 사랑을 사랑으로 받지 못하는 자들의 고질적 병폐 아닐까. 네가 잘나면 얼마나 잘났어, 하며 비교하는 교만. 올해는 이 음악회가 더욱 성황을 이뤄 서로의 사랑을, 한인들의 사랑을 나눴으면 한다. 이 행사에 대한 기부금은 전액 불우이웃 돕기로 쓰인단다.

　사랑을 잃고 나는 쓰네, (『빈집』 기형도) 하며 혼자가 버려 전설이 된 젊은이, 그가 절망하던 사회에서 한 발자국도 벗어나지 못한 현실. 개밥에 도토리가 맞지 개밥에 도리토가 아니다. 언제까지 개밥에 도토리처럼 광야를 걸을 것인가. 또한 기억의 그림엽서 속 그분도 아직 벌판을 걷고 있을까, 궁금하기 짝이 없다.

우회로

비가 온다. 7월에 비가 온다. 4월 우기가 끝나면 9월까지 지상낙원을 펼치는 이 고장. 이곳은 그간 7개월간의 우기를 참으면, 5개월간의 지상천국을 즐길 수 있는 고장이었다. 그러나 한국의 삼한사온이 없어졌듯 여기도 이젠 그 구분이 없어져 갈 모양이다. 요즘은 7월 야외 행사에도 일기예보를 점검해야 한다.

살기가 점점 불편해진다. 여기 와서 가장 불편했던 건 길이었다. 달리다 길을 놓치면 주저 없이 U턴해야 한다. 다른 도시에선 길을 놓치면 그다음 블록으로 돌아가면 됐다. 그러나 여긴 대부분 길이 그대로 끊기고 만다. 길은 늘 숲 앞에서 끝나거나 호수 앞에서 끊어진다. 막다른 길이니 돌아갈 우회로가 없다.

이뿐 아니다. 길 하나에 이름은 왜 그리 많은지. 뉴욕 맨해튼 남쪽 끝 478 도로에서 이어져 브루클린을 관통하는 오션 파크웨이는 길 끝나는 남쪽 바닷가 코니아일랜드까지

147

그대로 오션 파크웨이다. 브루클린은 미국에서 네 번째로 큰 킹스 카운티를 이르는 이름이다. 또 퀸즈 동쪽에서 시작해 보로를 관통하는 노던 부르바드도 서쪽 마지막 동네까지 줄곧 노던 부르바드다. 한데 여기 남북을 잇는 도로 99번은 지나가는 동네마다 이름이 달라진다. 동네의 짧은 도로 또한 마찬가지다. 좀 달리다 보면 달라진 도로명에 운전 초보들은 순간 핸들 흔들리는 경험을 하게 된다. 처음 찾아가는 동네엔 그야말로 내비게이션 없이는 갈 수 없다. 왜 그렇게 길 이름을 정해야 했는지 나름대로 이유가 있겠지만, 새로운 거주자들에겐 적응 잘 안 되는 일이다.

차선 운용도 마찬가지다. 뉴욕에서 트럭은 전용 차선으로 달린다. 한데 여기선 마음 놓고 차선 변경하며 달린다. 익스프레스 차선, 합승 차선, 추월 차선, 입맛대로다. 그야말로 '운전사 맘대로' 차선 변경하며 달리는 트럭 뒤를 따라가려면 간이 콩알만 해진다. 특히 몇 개씩 연결된 트레일러 뒤나 화공 물질을 실은 덩치 큰 트럭 옆을 따라가려면 식은땀이 솟고 입안이 바싹 마른다. 보통 그들은 속력을 늦추고 달리기에 교통 체증 유발까지 심하다. 트럭 전용 차선을 운용한다면 도로 환경이 훨씬 개선되지 않을까.

이 고장에서 또 하나 낯선 건 바람이다. 바다에서 직접 불어오는 야생의 바람은 수시로 나무를 쓰러뜨려, 자주 끊어지는 전선으로 해서 생활에 불편을 겪기도 한다. 한데, 길만 나서면 늘 불만스럽던 어느 날, 문득 내부에서 그 바람에 걸린 나뭇가지가 부러지는 소리가 났다. 거침없이 불어오던 바람이 아무렇게나 팔 벌리며 치솟은 나뭇가지가 걸리적대기에 우지끈 부러뜨려 버렸던 걸까. 불편이란 이름의 부러진 가지. 불편이란 순응의 반대 개념이다. 새로운 곳에 적응하지 못하는 불편함은 외부로부터 영향받는 것이 아니라 자신의 내부에 도사리고 있던 어떤 옹이였다.

성장한 곳에선 눈 두는 어느 곳에나 산이 있었기에, 20분 정도 버스를 타고 교외로 나가면 언제나 등산이 가능했다. 버스 안에서 잘 생긴 인수봉을 힐끗거리며 도봉 입구에 도착하면 가뿐하게 산을 오를 수 있었던 즐거움. 하기에 여기 처음 도착했을 때 그 익숙한 느낌이 좋았다. 게다 여긴 산정(山頂)마다 골짜기마다 호수가 오롯이 숨어 있어, 비경(秘境)을 이룬다. 조금만 달리다 보면 문득 맞닥뜨리는 이름 없는 호수와 숲. 어느 주거지에나 호수가 있고, 마을은 숲으로 둘러싸였다. 숲은 모든 것을 환경에 내어 주고, 산에는 늘 안개가 감돈다. 선녀 옷자락 같은 안개. 하기에 산은 갑사로 치장한 청신한 여인네의 느낌이다. 선계(仙界)에 든 듯싶다. 벌판 바닷가 뉴욕과는 사뭇 다른 정취다.

여긴 마을과 길 이름 또한 생소하다. 거의 토착민 인디언의 이름인 탓이다. 시애틀시의 이름이 추장 시애틀 이름에서 왔다는 건 주지의 사실. 사는 동네 이사콰만 해도, 어느 인디언 용사의 이름이겠거니 했더니, 그들의 언어로 새소리라는 뜻이란다. 새 소리 동네? 알게 된 순간, 사는 곳이 더욱 정겹게 다가왔다.

그리고 시간이 지나며 더 알게 된 이곳의 특징은 되도록 자연을 훼손하지 않으며 길을 내었다는 점이다. 뉴욕과 같이 서로 우회로가 되어 주는 곧은 도로를 갖추려면 산을 허물고, 호수를 메꿔 도로를 냈어야 하리라. 이 점을 깨닫고 나니 숲과 호수 앞에서 끝나고 마는 길에 앙앙불락했던 자신이 머쓱했다. 숲과 호수를 무찔러 길을 내고, 거침없이 달려야만 직성이 풀리는 도시인의 습성이 무안했다. 길의 우회로를 요구하기 전, 먼저 마음 안으로 우회로를 냈어야 했을걸. 이제 7월의 비에 불평을 거두고 화해를 청해야만 할까? 삶의 도약은 먼 곳에 있지 않으이. 자연과 더불어 숨 쉬는 생활은 평안하다.

고맙습니다

둑두두, 덱데그르르. 뒤뜰 덱에 뭔가 떨어지고 있다. 얼른 창으로 내다봤다. 산들바람이 지나가는 나무 아래 솔방울들이 갓 태어난 아기들처럼 뒹굴고 있다. 산부인과 신생아실 들여다보듯 자세히 내다보니, 몸을 푼 소나무 들이 지친 듯 만족한 듯 바람에 흔들린다. 올핸 작년보다 많은 솔방울이 떨어진다. 생장에 위협 느낄 무엇이 있었던가. 있는 힘을 다해 분만을 끝낸 뒤, 바람에 몸을 내맡기고 선 소나무들이 대견해 보인다. 흥부댁네 모습이 저러했을까?

예전엔 가난한 집에 애가 태어나면 제 먹을 건 제가 지니고 나온다고 했다. 하늘님이 인간을 내면 먹을 것도 함께 내신다고. 그리고 대개 그런 가정엔 어머니의 인내와 희생이 별전(別傳)처럼 따라붙었다. 자식을 생산하고, 품어서 생육하기에 어머니의 골수가 빠졌기 때문이다. 그러나 요즘엔 꼭 그렇지만도 않은 것 같다. 자연스레 생각이 예전 살던 곳으로 돌아갔다.

이민자들로 형성된 거리엔 여러 인종과 계층이 섞여 살았다. 그들은 가난할수록 아이들이 많았다. 그리고 주 수입원은 웰페어였다. 하니까 서로 농담 주고받길, 수입이 더 필요하면 애 하나 또 낳아, 했다. 말하자면 가족 두당 (頭當) 얼마의 수입이었다. 그래서 가게에 와 자기들끼리 농담을 주고받을 때면 흥부네를 떠올리곤 했다.

그러나 그들은 흥부댁네와는 거리가 멀었다. 어미가 랄리팝을 사길래 그게 애 입으로 들어가나 했더니, 자기 입으로 들어갔다. 깜짝 놀라 쳐다보는 내 눈길을 의식했던지 그녀는 말했다. 내가 행복해야 아이도 행복을 느끼지. 그러니까 내가 먼저, 맞지? 실소를 흘리는 내 반응을 그녀는 긍정으로 인정한 듯 한입 달라고 보채는 아이를 잡아채 끌고 가게를 나갔다.

어미가 우선인 얘기는 꼭 그들만도 아니다. 멀리 갈 것도 없이 내 당숙모 중에도 그런 분이 있다. 6.25 피란 길에 당숙모가 돌아가셨다. 하지만 당숙은 귀향길에 새 당숙모를 데려오셨다. 그리 쉽게 사는 분이니 세상이 다 쉬웠다. 그분에게 중요한 건 충녕대군 자손 여부 정도였다. 적은 수입이었건만 약주가 떨어지질 않았다. 그 습성은 날로 심해져 종래는 알코올중독이 됐고, 그 후유증으로 돌아가셨다. 새 당숙모는 당숙이 알코올중독으로 헤매고 있을 때 집을 나갔다. 가난한 집, 흥부 새끼 늘듯 가난이 는다고 아이 셋 있던 집에 둘을 더 보태 주고서였다.

밑의 육촌 둘은 성장할 때까지 재혼한 엄마를 찾아 가곤 했나 봤다. 그러나 그쪽도 넉넉하진 못했던 듯 찾아 오지 말라고 했단다. 끼니도 간 곳 없이 어깨를 늘어뜨리고 앉아 하염없던 육촌들 모습이 아련히 떠오른다. 몸도 맘도 고팠을 것이다. 엄마의 행복에 앞서 인륜을 저버린 일이 라고, 어린 내 마음에도 울컥해지던 기억이 난다. 솔방울 뿌려 놓듯 자식만 뿌려 놓고 간 당숙모는 무슨 심사로 그 랬을까?

하지만 인간은 솔방울 이상이지 않을까. 1.4 후퇴할 때, 무슨 이유에선지 아버지는 안 계셨다. 그 피란길에서 큰오 빠가 병이 났다. 새총에 무릎을 맞은 적이 있는데, 먼 길을 걸으니 그게 덧났던가. 점점 무릎이 부어올라, 종래는 걷지 못하게 됐다. 적군의 추격은 빨라지고, 아이는 걷지 못하고, 그러자 일행들이 촉박한 나머지 요구했단다. 함께 죽을 거 아니면 아이를 버리고 가자고. 그때는 실제로 버리고 간 아이들도 많았다.

그러나 어머니는 아들을 지켰다. 머리에 인 보따리를 저만치 가서 내려놓고, 도로 돌아와 아이를 업고 그 자 리까지 가서 내려놓길 반복해 아이를 업어 날랐다. 일행의 비난이 빗발쳤다. 그러나 어머니는 단호하게 끝까지 아들을 지켜냈다. 그렇게 해서 예산 피란민 수용소까지 걸어가셨다고 했다.

이 전설 아닌 전설은 들을 때마다 감동이었다. 그러나 나이 들고 보니, 이젠 공평한(?) 시각에서 그 일을 보게도 된다. 혹시 그건 나아가 종족 보존 본능의 발로가 아니었을까? 생육 환경이 나빠지면 소나무가 더 많은 솔방울을 매달듯, 위협을 느끼면 본능으로 종족을 끌어안는 게 모성이다. 육촌들이 절박한 상황에 처했다면 아마 그 당숙모도 달려와 자식을 품지 않았을지. 솔방울인 듯, 그러나 솔방울 이상인 게 인간 아닌가.

올핸 유난히 솔방울이 많다. 찌그러진 밤송이같이 못나 보이는 솔방울들. 혹시 저 솔방울 중 하나가 나 아닐까? 맞아요! 내 생각을 지지하듯 뒤뜰 덱에서 또 소리가 난다. 둑두두, 덱데그르르.

ALL 7777

　얼마 전 간단한 모임에 참석했을 때였다. 여담으로 중고등학생 아이 둘 가진 엄마가 말했다. 오늘은 아이들 하교에 맞춰 집에서 빵을 구울 거예요. 집 냄새를 알게 해 주려고요. 집에 돌아왔을 때 나던 빵 익는 냄새, 어른이 돼서도 기억하게 해 주고 싶어요. 가족 사랑이 넘치는 그 워킹맘에게 지지의 미소를 보내며, 아들 생각이 나서 참으로 속이 쓰리고 켕겼다.

　32년 전 이 땅에 도착했을 때, 가족 사랑은 기본이었지만 그 보다 앞서는 건 생계였다. 운 좋게(?) 우리 가게를 갖게 됐을 때, 12시간 개점하는 가게를 택했다. 그때 거기선 보통 구멍가게를 15시간, 심지어 중동인들은 24시간 열었다. 하기에 12시간 여는 가게는 그만큼 수익이 적었다. 그러나 15시간 여는 가게를 하는 이웃 한인은 밤 9시에 집에 돌아와 자는 아이들 얼굴밖엔 볼 수 없어, 왜

155

일하는지 모르겠다고 서글퍼했다. 심지어 한 칠레인은 가
게 경영을 위해 아들의 고교 진학을 포기시켰다고도 했다.

했기에 그 가게를 선택한 건 쉽지 않은 결정이었지만,
아이와 저녁밥이라도 함께 먹으려면 그 길이 최선이었다.
초등학교 2학년이었던 아이는 스스로 일어나 아침 챙겨
먹고, 알아서 학교에 갔다. 하교 후엔 정확히 3시면 가게로
전화해 귀가했음을 알렸다. 그러며 초중고를 개근으로 졸
업했다. 제 인생 제가 알아서 산 셈이다.

주중이고 주말이고 외동인 아이에게 여분의 시간을 할
애할 수 없었던 그 시절, 이웃들이 많은 도움을 줬다. 블럭
파티를 해도, 동네 피크닉을 가도 그들은 혼자 집에 남아
있는 우리 아이를 챙겼다. 언제 데리고 가고, 언제 데려
왔는지 전화로 일일이 알려 주던 의리파(?) 이탤리언들.
골목 끝엔 경찰서가 있었고, 그 바로 앞이 학교였다. 게다
우체국도 걸어갔고 도서관도 걸어갈 수 있는 거리였다.
아이 하나 기르기 위해 한 동네가 필요하단 말이 우리 아이
에게도 적용된 셈이다.

그때, 일요일이면 아빠 친구 손 잡고 교회 가던 아이,
방학이면 선생님 따라 캠핑 가던 아이를 그래도 행운아
라고 부러워하던 친지가 있었다. 그는 타코마를 거쳐 뉴
욕에 정착한, 자동차 정비소 주인이었는데, 우리보다 더
먼저 도착했기에 더 심란한 정착사(定着史)를 갖고 있었다.

500불로 도착한 그 부부는 서너 살 연년생 남매 둘을 맡길 데가 없어 (베이비시터는 감히 꿈도 못 꾸었단다), 먹을 걸 주변에 흩어 놓고, 끈으로 다리를 묶어 밖에 나가지 못하게 단속한 뒤, 문을 잠그고 출근했단다. 미성년자가 보호자 없이 집에 남아 있을 경우 경찰이 아이를 데려간다는 규정 때문에 어쩔 수 없었다지만, 그 가정엔 그 일이 씻을 수 없는 상처로 남았다. 일요일 저녁이면 우리 집에 와 술 마시며 그 부부는 이 얘기로 여러 번 울었다. 하지만 그 나마 이런 술자리에 낄 시간을 못 내던, 골목 모퉁이 가게 한인 이웃도 있었다. 말하자면 모두 살아 돌아온 전사 (戰士)들인 셈이었다.

요즘은 생존에 문화가 얹어져야 인간의 시간이 된다고 한다. 하기에 우리의 그 시간은 요즘 언어로 표현하면 짐 승의 시간이었다. 모든 초점이 생존에만 맞춰져 있었다. 누구에게나 지나가야 할 시간이 있고, 우리의 시간은 이 처럼 지나갔다. 회색의 빌딩 숲에서 아이를 기르며, 회의와 불안과 염려로 버무려 버텨냈던 나날들. 그 아이들이 이제 사십 대다. 다리를 묶여 집에 남겨졌던 딸내미는 지금 월 가의 잘 나가는 펀드 매니저로, 여가 시간이면 맨해튼의 메이컵 아티스트로 제 취미를 즐기며 살고 있다.

아직도 비는 내리지만, 계절은 사과나무 하얀 꽃잎 들이 아련히 흩날리는 봄날이다. 비 내리는 마을 처처에

숲이 있고 호수가 있는 이 고장으로 옮겨 주실 섭리를 그 시절에 알았다면 좀 덜 절망스러웠을까. 반(反)의 시간이 지나면 합(合)의 시간을 주신다는 걸 그 시절엔 알 수가 없었다. 회색의 빌딩 숲에서 자란 아들은 오히려 제 아이들이 대도시에 적응 못 하는 촌놈으로 자랄까 봐 은근 신경 쓰이는 눈치다. 별걱정을 다 한다 싶다.

　며칠 전엔 희한한 경험을 했다. 문득 눈에 들어온 앞차 번호판이 ALL 7777이었다. 눈을 의심했다. 뒤따르며 재차 확인했다. 틀림없는 ALL 7777. 혹시 주문 번호판인가 한 번 더 확인했다. 아니었다. 일반 번호판이었다. 저 번호판을 받았을 때 저 주인은 그 황당한 행운에 혹시 숨넘어가지 않았을까, 혼자 미소 지었다. 살다 보면 저런 행운도 찾아온다. 그것이 주재하는 분이 주권으로 주시는 선물이다. 하기에 오늘도 나는 손주들이 학교에서 돌아올 시간에 맞춰 베이글을 굽는다. 애비에게 못다 해 준 미안함을 이렇게라도 풀자고.

수필과 수필가

일전에 서류 작성하다가 직업란에서 막혔다. 과거엔 자영업자라 써넣었지만 이젠 뭐라 써야 하나, 잠시 머뭇거렸다. 그때 옆자리에 있던 분이 조언했다. 수필가라 쓰세요. 멋진 직업이잖아요. 수필가? 딴은 그럴듯하다. 수필을 업으로 삼았으니 수필가 맞긴 맞다. 잠깐 유혹으로 중심이 흔들렸다. 하지만 직업이란 생업을 말하는 것, 수필 써서 밥 벌어 먹고사는 건 아니니 직업이라 할 수 없다. 점잖게 유혹을 물리치고 그냥 공란으로 둘 밖에.

수필로 업을 삼고도 자신을 수필가라 소개해 본 적 없으니 타칭 수필가가 된 셈인데, 이 일이 좀 기묘하게 느껴졌다. 그분은 자칭 타칭 시인 수필가가 넘쳐나는 사회 현상 속에 별 부담 없이 말했는지도 모르겠다. 글쓰기에 취미(?)가 있다 하면, 무관에게도 그저 시인이든 수필가든 수식어를 붙여 주는 세태이니 그럴 수도 있겠다 싶다.

하지만 제대로 이런 칭호를 사용하려면 이에 걸맞은 노력과 고통을 지불해야 한다. 문단 라이선스인 등단 순서도 거쳐야 하고, 쓰기의 뼈아픔도 경험해야 한다. 만약, 원관념과 보조관념도 모르며 행과 연의 개념도 모른 체 시인이란 이름 듣길 두려워하지 않고, 수필의 형식이 무형식이라 했다고 진짜로 형식 없이 붓 가는 대로 써 대며 수필가란 명찰을 달려 한다면, 시인 수필가란 칭호를 너무 얕잡아 보는 게 아닐지.

고단한 세상, 쉽게 가지그래, 하는 분이 있을지 모르지만 쉽게 갈 일이 따로 있다. 아무리 쉽게 굴러가는 세상일망정 그 어느 한 곳에 엄정한 벽이 세워져 있어야 그나마 세상이 바로 굴러갈 수 있는 것처럼 문학도 예술이란 버거운 굴레를 감수해내야만 한다.

수필에도 벗어날 수 없는 굴레가 있다. 상전벽해의 세상에 수필이라고 그냥 있겠나. 전엔 붓 가는 대로 쓰는 게 수필이라 했지만, 이젠 창작 수필이 대세다. 무형식이 형식이라 배웠지만, 지금은 형식이 없어서 무형식이라는 게 아니고, 문학 장르의 어느 형식이나 차용할 수 있어서, 그 형식을 자유롭게 오갈 수 있다는 뜻의 무형식이란다. 하기에 혹자는 수필이 문학의 모든 장르를 통섭할 시대가 올 것이라 장담하기도 한다. 이 점이 오늘날 수필의 매력이다.

아니, 매력이자 굴레다. 수필의 주제를 형상화해 재창조한다는 게 그리 쉬운 일은 아니다. 시가 어렵다는 게 형상화 때문이니, 수필의 형상화는 더욱 어렵다. 붓 가는 대로 쓰는 글이라면 누구나 시도해 볼 수 있겠지만, 주제를 형상화해 재창조해야 한다면 얘기가 달라진다. 이는 전문 영역이다. 아마추어와 프로의 구별이 괜히 생기겠나.

해서 심지어 수필비평가 사이에서도 이 형상화를 잘못 이해하고 용어를 남발하는 경우가 있다. 주제를 살리기 위한 창작의 흔적도 없는 수필을 형상화가 잘 됐다고 주례사 비평할 땐 벌어진 입이 다물어지지 않는다. 이는 그간 신변잡사를 부담 없이 나열한 글을 수필이라 해 온 편안한(?) 관행 때문이다.

어느 예술품이나 긴장 미를 갖춰야 감상자의 정신이 활성화돼 삶을 쇄신시킬 수 있다. 질서를 재창조하지 않은 예술품, 작가의 숨죽인 호흡이 느껴지지 않는 예술품은 도금된 예술이다. 결코 예술은 편한 작업이 아니다. 수필도 그렇다. 심지어 일반 수필이라도 필자의 독창적인 견해, 인문적 소양이 드러나야 수필의 반열에 오른다.

이렇게 까다로운 게 오늘의 수필이라면, 하면 우리가 평소 편하게 읽고 쓰고 즐기는 수필은 대체 뭔가, 하는 질문이 나올 수도 있다. 대학 교실에서 배울 땐 이를 '수필 양식의 것'이라 배웠다. 문학의 장르를 시 소설 수필 희곡

평론으로 분류한다면, 그럼 그 나머지, 글로 이루어진 모든
형태를 뭐라 불러야 하나. 이를 다 뭉뚱그려 수필의 범주에
넣으며, 광의의 수필이라 한다. 심지어 칼럼 기사문 실용문
광고문까지도. 양주동식으로 말하면, 시 소설 희곡을 뺀
나머지 우수마발이 다 수필야(隨筆也)라. 이렇게 광역의
문학이 수필이니 수많은 오해도 생겨났다. 그중 대표적인
하나가 수필가는 레벨 떨어지는 문인이라 낮잡아 보는
것이다. 낮잡아 보는 시인 소설가들께서 수필을 고통 없이
쓰기에 그렇다고 할지도 모른다.

　　하지만 수필, 고민 없이 쉽게 쓰여지는 글이 아니다.
정신을 벼리며 창작을 위해 고민하지 않은 글은 문학이
아니기에. 시인 소설가들이 쓰는 산문, 그거야말로 잡문
이다. 하기에 지금 이 글도 잡문이다. 수필가가 쓰는 잡문.
(하지만 린위탕의 『생활의 발견』이 잡문으로 분류되는
점에 대해선 더 많은 지면이 필요하다.)

　　수필의 구성과 형상화에 대해 오늘도 나는 엄살 부리
며 고민한다. 수필 쓰기 참 힘들다. 쓰기 힘들어 도망쳐
왔던 소설로 되돌아가야 하나… 하지만 프로스트의 길이
숲으로 난 것처럼 나의 길은 이미 수필로 나있다.

다시 책을 펴내며

세 번째 책을 펴내기엔 아직 이른 감이 있습니다. 숙성도 되지 않은 땡감을 손님 앞에 내놓는 겁 없는 짓이 아닌가 하는 우려도 듭니다.

하지만 시애틀한국일보의 『삶과 생각』 필진으로 참여한 지 7년이 됐습니다. 애초엔 필진들과 함께 공저를 만들 생각이었죠. 그러나 그 사이 필진들은 그럭저럭 개인의 저서를 출간했습니다. 혼자 책을 묶게 된 이유입니다.

혼자 책을 묶으며 드는 생각, 이게 기회인지도 모른다. 겁 없이 부끄러운 줄 모르고 글쓰기에 뛰어들어 수년이 지났는데 이참에 제대로 된 길을 가고 있는지 한번 점검해 보자. 내 심령을 지어 주신 분께 냉철한 마음으로 여쭤보자.

그 동안 글을 쓸 수 없는 시간도 있었습니다. 사방이 벽으로 막힌 고통이었습니다. 그러나 『삶과 생각』 필진들에게 누를 끼칠 수 없어 마감과 싸웠습니다. 그러며 아픔도 어느덧 곰삭았습니다. 해서 글쓰기의 끈을 놓치 않도록 해 준 『삶과 생각』 지면에 사의를 표하고, 그간 함께 해 주신 필진에게도 감사드립니다. 계속 글을 쓸 수 있어 기쁘고, 그렇게 쓰임 받게 허락해 주신 우리의 시종을 주관하시는 분께 가장 큰 감사를 드립니다.

빈약한 글이 종이에게 누를 끼치는 거나 아닌가 하는 두려움은 앞으로도 계속 남아 있을 것 같습니다.

저자 소개

공순해

월간 수필문학, 계간 에세이문학 등단
시애틀문학상, 한미문단문학상, 재외동포문학상 수상
한국문인협회, 펜문학 회원
2018년 현재 한국문인협회 워싱턴주 지부 회장

저서: 손바닥에 고인 바다, 빛으로 짠 그물

Email: janeshkong@gmail.com

98570217R00096

Made in the USA
Columbia, SC
30 June 2018